biblio collège

Le Cid

Corneille

Notes, questionnaires et Dossier Bibliocollège
par **Niloufar SADIGHI**,
agrégée de Lettres modernes,
professeur en collège

Texte conforme à l'édition des Grands Écrivains de la France

Crédits photographiques

pp. 8, 43, 76, 103, 129 : une représentation du *Cid* au théâtre du Marais (1636), reconstituée au théâtre de l'Odéon, BN, coll. part. – Édimédia. **p. 12 :** Roger-Viollet. **p. 28 :** Hachette Livre. **p. 29 :** Brigitte Enguerand. **p. 35 :** photo Rapho – Hachette Livre. **p. 48 :** dessin de Nanteuil, 1845 ; coll. particulière, BN – Édimédia. **p. 50 :** illustration d'une édition du *Cid* – Roger-Viollet © Harlingue-Viollet. **p. 60 :** Brigitte Enguerand. **p. 71 :** © Marc Enguerand. **p. 85 :** Hachette Livre. **p. 93 :** photo Agnès Varda – Rapho. **p. 110 :** Marc Enguerand. **p. 116 :** coll. Christophe L. **p. 140 :** bibliothèque de l'Arsenal ; photo S. Guilley-Lagache – Hachette Livre. **p. 144 :** photo Lipnitzki – Roger-Viollet. **p. 150 :** © Enguerand. **p. 163 :** photo Roger-Viollet. **p. 164 :** Hachette Livre. **p. 170 :** Roger-Viollet © coll. Viollet. **p. 178 :** frontispice de l'édition originale de 1637, gravure anonyme, cliché Hachette.

Conception graphique

Couverture : *Laurent Carrè*

Intérieur : *ELSE*

Mise en page

Médiamax

Illustration des questionnaires

Harvey Stevenson

ISBN : 978-2-01-167848-5

Sommaire

Introduction

Rodrigue et Chimène s'aiment et sont sur le point de se marier. Mais le roi vient de choisir don Diègue, le père de Rodrigue, pour le poste de gouverneur du prince. Le père de Chimène, vexé et jaloux, interpelle don Diègue à la sortie du palais et finit par le gifler. Une telle insulte ne peut se réparer que par un duel ; mais don Diègue, trop vieux, ne peut combattre lui-même et remet son épée à Rodrigue pour venger son honneur. Déchiré entre son amour et son devoir, que fera Rodrigue ?

Personnages d'exception, au courage exemplaire, Rodrigue et Chimène sont entrés dans la légende et font partie, tels Tristan et Iseult ou Roméo et Juliette, des couples mythiques de notre imaginaire.

Quand *Le Cid* est joué pour la première fois, en 1637, il connaît un véritable triomphe, la foule se presse au théâtre du Marais ; à la cour comme à la ville, il n'est plus question que du *Cid*, chacun en connaît quelques vers par cœur et il est devenu courant de dire « Cela est beau comme *Le Cid* » ! Mais le scandale qui suit cet accueil est à la mesure de son triomphe. Les rivaux de Corneille, envieux de son succès, l'accusent d'avoir copié une pièce espagnole et d'avoir violé les règles du théâtre. Corneille se défend, la Querelle s'envenime, Richelieu lui-même doit intervenir pour imposer silence aux parties adverses.

Presque aussi célèbre que la pièce, la Querelle du *Cid* est une date majeure de l'histoire littéraire ; grâce aux débats auxquels elle a donné lieu, cette querelle a permis de fixer les règles du théâtre classique et a ouvert la voie aux grandes tragédies de Corneille lui-même et, plus tard, de Racine.

À l'époque de Corneille, le public, composé de membres de la noblesse et de la grande bourgeoisie, s'identifiait facilement aux personnages de la pièce, car ceux-ci incarnaient les valeurs idéales de leur milieu : l'héroïsme, la vertu, l'honneur. Mais ce public était aussi sensible à l'amour de Rodrigue et de Chimène, mis en péril par un destin tragique.

Qu'en est-il aujourd'hui ? Le succès immuable du *Cid*, l'une des pièces les plus jouées du répertoire, prouve que la pièce nous touche encore : le thème éternel de l'amour impossible a toujours de quoi nous charmer ; quant à l'honneur, même si nous ne le comprenons plus de la même manière que les spectateurs du XVIIe siècle, nous sommes réceptifs au modèle de courage et de fidélité à soi-même que nous donnent les héros de Corneille, partagés entre la passion et la raison, mais en définitive maîtres d'eux-mêmes et acteurs de leur destin.

PERSONNAGES

DON FERNAND : premier roi de Castille (Ferdinand 1er le Grand, mort en 1065).

DOÑA URRAQUE : Infante de Castille, fille de Don Fernand.

DON DIÈGUE : père de Don Rodrigue.

DON GOMÈS : comte de Gormas, père de Chimène.

DON RODRIGUE : amant de Chimène (Ruy Diaz de Bivar).

DON SANCHE : amoureux de Chimène.

DON ARIAS, DON ALONSE : gentilshommes castillans.

CHIMÈNE : fille de Don Gomès.

LÉONOR : gouvernante de l'Infante.

ELVIRE : gouvernante de Chimène.

UN PAGE de l'Infante.

La scène est à Séville : « Tout s'y passe donc dans Séville, et garde ainsi quelque espèce d'unité de lieu en général ; mais le lieu particulier change de scène en scène, et tantôt c'est le palais du Roi, tantôt l'appartement de l'Infante, tantôt la maison de Chimène, et tantôt une rue ou place publique. »

(Corneille, *Examen de la pièce*, 1660).

Scène 1

CHIMÈNE, ELVIRE

CHIMÈNE

Elvire, m'as-tu fait un rapport bien sincère ?
Ne déguises-tu[1] rien de ce qu'a dit mon père ?

ELVIRE

Tous mes sens à moi-même[2] en sont encor[3] charmés :
Il estime Rodrigue autant que vous l'aimez,
5 Et si je ne m'abuse à lire[4] dans son âme,
Il vous commandera de répondre à sa flamme[5].

CHIMÈNE

Dis-moi donc, je te prie, une seconde fois
Ce qui te fait juger qu'il approuve mon choix :

notes

1. ne déguises-tu : ne caches-tu.

2. à moi-même : en moi-même.

3. encor : en poésie, *encore* peut s'écrire sans -*e* final.

4. à lire : en lisant.

5. flamme : amour, passion amoureuse.

Apprends-moi de nouveau quel espoir j'en dois prendre ;
10 Un si charmant discours ne se peut trop entendre ;
Tu ne peux trop promettre aux feux[1] de notre amour
La douce liberté de se montrer au jour.
Que t'a-t-il répondu sur la secrète brigue[2]
Que font auprès de toi don Sanche et don Rodrigue[3] ?
15 N'as-tu point trop fait voir quelle inégalité
Entre ces deux amants[4] me penche d'un côté[5] ?

ELVIRE
Non ; j'ai peint votre cœur dans une indifférence
Qui n'enfle d'aucun d'eux[6] ni détruit l'espérance,
Et sans les voir d'un œil trop sévère ou trop doux,
20 Attend l'ordre d'un père à choisir[7] un époux.
Ce respect l'a ravi, sa bouche et son visage
M'en ont donné sur l'heure un digne témoignage,
Et puisqu'il nous en faut encor faire un récit,
Voici d'eux et de vous ce qu'en hâte il m'a dit :
25 « Elle est dans le devoir[8] ; tous deux sont dignes d'elle,
Tous deux formés d'un sang noble, vaillant, fidèle,
Jeunes, mais qui font lire aisément dans leurs yeux
L'éclatante vertu[9] de leurs braves aïeux.
Don Rodrigue surtout n'a trait[10] en son visage
30 Qui d'un homme de cœur[11] ne soit la haute image[12],

notes

1. *feux* : même image que pour *flamme*, ardeur de l'amour.

2. *brigue* : rivalité amoureuse.

3. *vers 14 (Que font [...] don Rodrigue ?)* : don Sanche et don Rodrigue courtisent Chimène, par l'intermédiaire de sa gouvernante.

4. *amants* : amoureux, prétendants.

5. *me penche d'un côté* : me fait préférer l'un d'eux.

6. *qui n'enfle d'aucun d'eux* : qui ne donne l'avantage à aucun d'eux.

7. *à choisir* : pour choisir.

8. *devoir* : obligation morale.

9. *vertu* : force, mérite. Au pluriel, qualités morales.

10. *n'a trait* : n'a pas un seul trait.

11. *cœur* : courage.

12. *la haute image* : la vaillance de Rodrique se lit sur son visage.

Et sort d'une maison si féconde en guerriers,
Qu'ils y prennent naissance au milieu des lauriers[1].
La valeur de son père, en son temps sans pareille,
Tant qu'a duré sa force, a passé pour merveille ;
35 Ses rides sur son front ont gravé ses exploits,
Et nous disent encor ce qu'il fut autrefois.
Je me promets du fils ce que j'ai vu du père ;
Et ma fille, en un mot, peut l'aimer et me plaire. »
Il allait au conseil, dont l'heure qui pressait
40 A tranché ce discours qu'à peine il commençait ;
Mais à ce peu de mots je crois que sa pensée
Entre vos deux amants n'est pas fort balancée[2].
Le roi doit à son fils élire un gouverneur[3],
Et c'est lui que regarde[4] un tel degré d'honneur :
45 Ce choix n'est pas douteux[5], et sa rare vaillance
Ne peut souffrir qu'on craigne aucune concurrence.
Comme ses hauts exploits le rendent sans égal,
Dans un espoir si juste il sera sans rival ;
Et puisque don Rodrigue a résolu son père
50 Au sortir du conseil à proposer l'affaire[6],
Je vous laisse à juger s'il prendra bien son temps[7],
Et si tous vos désirs seront bientôt contents.

notes

1. *lauriers* : le laurier est le symbole de la gloire militaire.

2. *balancée* : hésitante.

3. *élire un gouverneur* : choisir un précepteur.

4. *c'est lui que regarde* : c'est lui (le comte) que concerne…

5. *ce choix n'est pas douteux* : le choix du comte comme gouverneur du Prince ne fait aucun doute.

6. *l'affaire* : l'union de Rodrigue et de Chimène.

7. *s'il prendra bien son temps* : s'il saisira l'occasion la plus favorable pour faire sa demande.

CHIMÈNE

Il semble toutefois que mon âme troublée
Refuse cette joie et s'en trouve accablée :
55 Un moment donne au sort des visages divers [1],
Et dans ce grand bonheur je crains un grand revers.

ELVIRE

Vous verrez cette crainte heureusement déçue [2].

CHIMÈNE

Allons, quoi qu'il en soit, en attendre l'issue.

notes

1. vers 55 (Un moment** [...] **divers) : un seul instant suffit à changer la destinée.

2. déçue : détrompée.

Chimène (Danièle Gérard) et Elvire (Colette Bergé). Théâtre de l'Athénée, novembre 1963.

Au fil du texte

Questions sur l'acte I, scène 1 (pages 8 à 11)

Avez-vous bien lu ?

1. Qui sont les personnages en présence ?

2. Quels sont les autres personnages nommés dans la scène ?

3. Où la scène se déroule-t-elle ?

4. À quelle époque situez-vous l'action ?

Étudier la fonction de la scène dans la pièce

5. Qu'apprend-on de chacun des personnages présents et nommés ?

6. Quelle intrigue* se met en place ?

7. Pourquoi cette scène est-elle une scène d'exposition* ?

8. Quelles sont les craintes de Chimène ?

intrigue : **ensemble des événements formant l'action d'une pièce de théâtre.**

scène d'exposition : **au théâtre, scène de début présentant les personnages, le lieu et l'époque de l'action.**

Étudier le genre

9. Quels sont les premiers mots de Chimène ?

10. Pourquoi peut-on dire que le spectateur est directement introduit au cœur de l'intrigue ?

11. Relevez tous les éléments qui montrent que la pièce commence dans la joie.

Étudier les caractères

12. À quel milieu appartiennent les personnages ?

13. Qu'est-ce qui montre que Chimène est une jeune fille obéissante ?

14. Quelles sont les qualités que le Comte reconnaît chez Rodrigue ?

15. À quoi voit-on que le Comte, père de Chimène, est un personnage orgueilleux ?

ÉTUDIER LE DISCOURS

16. Quel est le personnage qui parle le plus longtemps dans cette scène ?

17. Pourquoi la tirade* d'Elvire est-elle une narration* ?

18. Trouvez, dans la tirade d'Elvire, le passage où elle rapporte les propos du père de Chimène.

19. À quoi voit-on que ce passage est un discours au style direct ?

20. Quel est le niveau de langue* utilisé par les personnages ?

tirade : au théâtre, longue suite de vers ou de phrases récitée par un personnage.

narration : fait de raconter, à l'aide d'un récit, une suite de faits, un événement.

niveau de langue : on en distingue habituellement quatre : soutenu, courant, familier, vulgaire.

ÉTUDIER LE VOCABULAIRE ET LA GRAMMAIRE

21. Relevez, dans le discours du Comte, les termes qui insistent sur la noblesse de Rodrigue.

22. Donnez la signification des termes « *flamme* », « *feux* », « *amant* ».

23. À qui renvoient le pronom « *lui* » (v. 44) et le possessif « *sa* » (v. 45) ?

24. Quel est le temps dominant dans cette scène ?

ÉTUDIER L'ÉCRITURE

25. Combien de syllabes compte chaque vers ?

26. Quel est le nom donné à ce type de vers ?

☐ alexandrin* ☐ décasyllabe* ☐ octosyllabe*

À vos plumes !

27. Réécrivez avec vos propres mots le passage des vers 7 à 16.

28. Essayez de composer à votre tour des alexandrins sur un thème de votre choix ou à partir d'un texte en prose !

Lire l'image

29. Sur la photo de la page 12, laquelle des deux jeunes filles est Chimène ?

30. Que montre l'attitude des deux jeunes filles ?

31. Quels sont, d'après l'image, les sentiments de l'une et de l'autre ?

alexandrin : **vers de douze syllabes.**

décasyllabe : **vers de dix syllabes.**

octosyllabe : **vers de huit syllabes.**

Scène 2

L'INFANTE, LÉONOR, LE PAGE

(Chez l'Infante.)

L'INFANTE
Page, allez avertir Chimène de ma part
60 Qu'aujourd'hui pour me voir elle attend un peu tard,
Et que mon amitié se plaint de sa paresse.

LÉONOR
Madame, chaque jour même désir vous presse ;
Et dans son entretien[1] je vous vois chaque jour
Demander en quel point se trouve son amour.

L'INFANTE
65 Ce n'est pas sans sujet : je l'ai presque forcée
À recevoir les traits[2] dont son âme est blessée.
Elle aime don Rodrigue, et le tient de ma main,
Et par moi don Rodrigue a vaincu son dédain :
Ainsi de ces amants ayant formé les chaînes[3],
70 Je dois prendre intérêt à voir finir leurs peines.

LÉONOR
Madame, toutefois parmi leurs bons succès[4],
Vous montrez un chagrin qui va jusqu'à l'excès.
Cet amour, qui tous deux les comble d'allégresse,
Fait-il de ce grand cœur la profonde tristesse ?
75 Et ce grand intérêt que vous prenez pour eux
Vous rend-il malheureuse alors qu'ils sont heureux ?
Mais je vais trop avant et deviens indiscrète.

notes

1. son entretien : celui que vous avez avec elle.

2. les traits : ce sont les flèches de Cupidon, dieu de l'Amour.

3. les chaînes : les liens de l'amour.

4. parmi leurs bons succès : au milieu de leur bonheur.

L'INFANTE

Ma tristesse redouble à la tenir secrète.
Écoute, écoute enfin comme j'ai combattu,
80 Écoute quels assauts brave encor ma vertu.
L'amour est un tyran qui n'épargne personne :
Ce jeune cavalier[1], cet amant que je donne,
Je l'aime.

LÉONOR

Vous l'aimez !

L'INFANTE

Mets la main sur mon cœur,
Et vois comme il se trouble au nom de son vainqueur,
85 Comme il le reconnaît.

LÉONOR

Pardonnez-moi, Madame,
Si je sors du respect pour blâmer cette flamme,
Une grande princesse à ce point s'oublier
Que d'admettre en son cœur un simple cavalier !
Et que dirait le Roi ? que dirait la Castille ?
90 Vous souvient-il encor de qui vous êtes fille ?

L'INFANTE

Il m'en souvient si bien que j'épandrai mon sang
Avant que je m'abaisse à démentir[2] mon rang.
Je te répondrais bien que dans les belles âmes
Le seul mérite[3] a droit de produire des flammes ;
95 Et si ma passion cherchait à s'excuser,

notes

1. cavalier : chevalier, gentilhomme.

2. démentir : renier.

3. mérite : ensemble des qualités qui distinguent un homme de valeur.

Mille exemples fameux pourraient l'autoriser ;
Mais je n'en veux point suivre où ma gloire[1] s'engage[2] ;
La surprise des sens[3] n'abat point mon courage ;
Et je me dis toujours qu'étant fille de roi,
100 Tout autre qu'un monarque est indigne de moi.
Quand je vis que mon cœur ne se pouvait défendre,
Moi-même je donnai ce que je n'osai prendre.
Je mis, au lieu de moi, Chimène en ses liens,
Et j'allumai leurs feux pour éteindre les miens.
105 Ne t'étonne donc plus si mon âme gênée[4]
Avec impatience attend leur hyménée[5] :
Tu vois que mon repos en dépend aujourd'hui.
Si l'amour vit d'espoir, il périt avec lui :
C'est un feu qui s'éteint, faute de nourriture ;
110 Et malgré la rigueur de ma triste aventure,
Si Chimène a jamais Rodrigue pour mari,
Mon espérance est morte, et mon esprit guéri.
Je souffre cependant un tourment incroyable :
Jusques à cet hymen Rodrigue m'est aimable[6] ;
115 Je travaille à le perdre, et le perds à regret ;
Et de là prend son cours mon déplaisir secret.
Je vois avec chagrin que l'amour me contraigne[7]
À pousser des soupirs pour ce que je dédaigne ;
Je sens en deux partis mon esprit divisé :
120 Si mon courage est haut, mon cœur est embrasé ;
Cet hymen[8] m'est fatal, je le crains et souhaite :

notes

1. *gloire* : estime de soi, considération.

2. *s'engage* : soit compromise.

3. *la surprise des sens* : l'amour.

4. *gênée* : torturée.

5. *hyménée* : mariage.

6. *aimable* : digne d'être aimé.

7. *me contraigne* : puisse me contraindre.

8. *hymen* : mariage.

Je n'ose en espérer qu'une joie imparfaite.
Ma gloire et mon amour ont pour moi tant d'appas,
Que je meurs s'il s'achève ou ne s'achève pas.

LÉONOR

125 Madame, après cela je n'ai rien à vous dire,
Sinon que de vos maux avec vous je soupire :
Je vous blâmais tantôt, je vous plains à présent ;
Mais puisque dans un mal si doux et si cuisant
Votre vertu combat et son charme[1] et sa force,
130 En repousse l'assaut, en rejette l'amorce,
Elle rendra le calme à vos esprits flottants[2].
Espérez donc tout d'elle, et du secours du temps ;
Espérez tout du ciel : il a trop de justice
Pour laisser la vertu dans un si long supplice.

L'INFANTE

135 Ma plus douce espérance est de perdre l'espoir.

LE PAGE

Par vos commandements Chimène vous vient voir.

L'INFANTE, *à Léonor*

Allez l'entretenir en cette galerie.

LÉONOR

Voulez-vous demeurer dedans la rêverie[3] ?

notes

1. charme : puissance mystérieuse.

2. flottants : troublés.

3. dedans la rêverie : dans vos pensées.

L'INFANTE

Non, je veux seulement, malgré mon déplaisir,
140 Remettre mon visage[1] un peu plus à loisir.
Je vous suis. Juste ciel, d'où j'attends mon remède,
Mets enfin quelque borne au mal qui me possède :
Assure mon repos, assure mon honneur[2].
Dans le bonheur d'autrui je cherche mon bonheur :
145 Cet hyménée à trois[3] également importe ;
Rends son effet[4] plus prompt, ou mon âme plus forte.
D'un lien conjugal joindre ces deux amants,
C'est briser tous mes fers[5] et finir mes tourments.
Mais je tarde un peu trop : allons trouver Chimène,
150 Et par son entretien soulager notre peine.

notes

1. remettre mon visage : reprendre l'apparence du calme.

2. honneur : respect de soi-même et code de conduite des héros cornéliens.

3. à trois : à trois personnes.

4. effet : accomplissement.

5. mes fers : les liens de l'amour.

Au fil du texte

Questions sur l'acte I, scène 2 (pages 16 à 20)

AVEZ-VOUS BIEN LU ?

1. Qui sont les personnages en présence ?

2. Cherchez la définition du terme *« infante »* dans le dictionnaire.

3. Où la scène se déroule-t-elle ?

ÉTUDIER LA PLACE ET LA FONCTION DE L'EXTRAIT DANS L'ŒUVRE

4. En quoi cette scène ressemble-t-elle à la précédente ?

5. Que révèle l'Infante ?

6. En quoi cette révélation est-elle importante pour l'intrigue* ?

intrigue : **ensemble des événements formant l'action d'une pièce de théâtre.**

tragique : **au théâtre, se dit d'une situation dramatique et sans issue, provoquant la pitié du spectateur.**

ÉTUDIER UN THÈME : L'AMOUR IMPOSSIBLE

7. Pourquoi l'Infante n'a-t-elle pas le droit d'aimer Rodrigue ?

8. Qu'espère-t-elle obtenir en « donnant » Rodrigue à Chimène ?

9. Que pensez-vous de son comportement ?

10. En quoi la situation de l'Infante est-elle tragique* ?

11. Reportez-vous au groupement de textes p. 179. En quoi la situation de l'Infante est-elle comparable avec celle de Bérénice ou de Hernani ? En quoi est-elle différente ?

Étudier le discours (vers 91-124)

12. Combien de parties distinguez-vous dans la tirade* de l'Infante ?

13. Relevez les pronoms qui montrent que l'Infante s'adresse à Léonor.

14. Pourquoi a-t-on l'impression, à partir du vers 108, que l'Infante se parle à elle-même ?

Étudier l'écriture

15. Cherchez dans les vers 78 à 83 une maxime* exprimant une vérité générale.

16. Observez l'antithèse* du vers 76. Cherchez-en au moins trois autres dans la scène.

17. En quoi l'antithèse traduit-elle les sentiments de l'Infante ?

tirade : **au théâtre, longue suite de vers ou de phrases récitée par un personnage.**

maxime : **courte phrase exprimant une vérité générale.**

antithèse : **rapprochement de deux termes de sens opposé.**

Scène 3

LE COMTE, DON DIÈGUE

(Une place publique devant le palais royal.)

LE COMTE
Enfin vous l'emportez, et la faveur du Roi
Vous élève en un rang qui n'était dû qu'à moi :
Il vous fait gouverneur du prince de Castille[1].

DON DIÈGUE
Cette marque d'honneur[2] qu'il met dans ma famille
155 Montre à tous qu'il est juste, et fait connaître assez
Qu'il sait récompenser les services passés.

LE COMTE
Pour grands que soient les rois, ils sont ce que nous sommes :
Ils peuvent se tromper comme les autres hommes ;
Et ce choix sert de preuve à tous les courtisans[3]
160 Qu'ils savent mal payer les services présents.

DON DIÈGUE
Ne parlons plus d'un choix dont votre esprit s'irrite :
La faveur l'a pu faire autant que le mérite ;
Mais on doit ce respect au pouvoir absolu,
De n'examiner[4] rien quand un roi l'a voulu.
165 À l'honneur qu'il m'a fait ajoutez-en un autre ;
Joignons d'un sacré nœud[5] ma maison et la vôtre :
Vous n'avez qu'une fille, et moi je n'ai qu'un fils ;
Leur hymen nous peut rendre à jamais plus qu'amis :
Faites-nous cette grâce, et l'acceptez pour gendre.

notes

1. prince de Castille : fils aîné du roi don Fernand.

2. marque d'honneur : distinction, privilège.

3. courtisans : hommes de cour.

4. examiner : critiquer.

5. d'un sacré nœud : d'un nœud sacré : l'hymen ou le lien du mariage.

LE COMTE

170 À des partis plus hauts ce beau fils doit prétendre ;
Et le nouvel éclat de votre dignité[1]
Lui doit enfler le cœur d'une autre vanité[2].
Exercez-la[3], Monsieur, et gouvernez le Prince :
Montrez-lui comme[4] il faut régir une province,
175 Faire trembler partout les peuples sous sa loi,
Remplir les bons d'amour, et les méchants d'effroi.
Joignez à ces vertus[5] celles d'un capitaine :
Montrez-lui comme il faut s'endurcir à la peine,
Dans le métier de Mars[6] se rendre sans égal,
180 Passer les jours entiers et les nuits à cheval,
Reposer tout armé, forcer une muraille,
Et ne devoir qu'à soi le gain d'une bataille.
Instruisez-le d'exemple[7], et rendez-le parfait,
Expliquant à ses yeux vos leçons par l'effet[8].

DON DIÈGUE

185 Pour s'instruire d'exemple, en dépit de l'envie[9],
Il lira seulement l'histoire de ma vie.
Là, dans un long tissu[10] de belles actions,
Il verra comme il faut dompter des nations,
Attaquer une place, ordonner une armée,
190 Et sur de grands exploits bâtir sa renommée.

notes

1. ***dignité :*** la charge de gouverneur du prince.

2. ***vanité :*** prétention.

3. ***la :*** votre dignité.

4. ***comme :*** comment.

5. ***vertus :*** qualités.

6. ***le métier de Mars :*** le métier militaire. Mars est le dieu de la guerre.

7. ***d'exemple :*** en lui montrant l'exemple.

8. ***l'effet :*** la mise en pratique.

9. ***en dépit de l'envie :*** malgré les envieux.

10. ***tissu :*** liste.

LE COMTE

Les exemples vivants sont d'un autre pouvoir ;
Un prince dans un livre apprend mal son devoir.
Et qu'a fait après tout ce[1] grand nombre d'années,
Que ne puisse égaler une de mes journées ?
195 Si vous fûtes vaillant, je le suis aujourd'hui,
Et ce bras[2] du royaume est le plus ferme appui.
Grenade et l'Aragon[3] tremblent quand ce fer[4] brille ;
Mon nom sert de rempart à toute la Castille :
Sans moi, vous passeriez bientôt sous d'autres lois,
200 Et vous auriez bientôt vos ennemis pour rois.
Chaque jour, chaque instant, pour rehausser ma gloire,
Met lauriers sur lauriers, victoire sur victoire :
Le Prince à mes côtés ferait dans les combats
L'essai de son courage à l'ombre de mon bras ;
205 Il apprendrait à vaincre en me regardant faire ;
Et pour répondre en hâte à son grand caractère[5],
Il verrait...

DON DIÈGUE

Je le sais, vous servez bien le Roi :
Je vous ai vu combattre et commander sous moi[6].
Quand l'âge dans mes nerfs a fait couler sa glace,
210 Votre rare valeur a bien rempli ma place ;
Enfin, pour épargner les discours superflus,
Vous êtes aujourd'hui ce qu'autrefois je fus.

notes

1. ce : votre.

2. ce bras : ma force.

3. Grenade et l'Aragon : royaumes indépendants, ennemis de la Castille.

4. ce fer : mon épée.

5. vers 206 (Et pour [...] ***grand caractère) :*** pour développer rapidement ses qualités.

6. sous moi : sous mes ordres.

Vous voyez toutefois qu'en cette concurrence
Un monarque entre nous met quelque différence.

LE COMTE

215 Ce que je méritais, vous l'avez emporté.

DON DIÈGUE

Qui l'a gagné sur vous l'avait mieux mérité.

LE COMTE

Qui peut mieux l'exercer en est bien le plus digne.

DON DIÈGUE

En être refusé n'en est pas un bon signe.

LE COMTE

Vous l'avez eu par brigue[1], étant vieux courtisan.

DON DIÈGUE

220 L'éclat de mes hauts faits fut mon seul partisan.

LE COMTE

Parlons-en mieux, le Roi fait honneur à votre âge.

DON DIÈGUE

Le Roi, quand il en fait, le[2] mesure au courage.

LE COMTE

Et par là cet honneur n'était dû qu'à mon bras.

DON DIÈGUE

Qui n'a pu l'obtenir ne le méritait pas.

notes

1. ***brigue :*** intrigue.

2. ***le Roi, quand il en fait, le mesure au courage :*** *En* et *le* renvoient à « *honneur* ».

LE COMTE

225 Ne le méritait pas ! moi ?

DON DIÈGUE

Vous.

LE COMTE

Ton impudence[1],

Téméraire vieillard, aura sa récompense.

(Il lui donne un soufflet[2].)

DON DIÈGUE, *mettant l'épée à la main.*

Achève, et prends ma vie, après un tel affront,

Le premier dont ma race ait vu rougir son front.

LE COMTE

Et que penses-tu faire avec tant de faiblesse ?

DON DIÈGUE

230 Ô Dieu ! ma force usée en ce besoin me laisse !

LE COMTE

Ton épée est à moi[3] ; mais tu serais trop vain[4],

Si ce honteux trophée avait chargé ma main.

Adieu : fais lire au Prince, en dépit de l'envie,

Pour son instruction, l'histoire de ta vie :

235 D'un insolent discours ce juste châtiment

Ne lui servira pas d'un petit ornement[5].

notes

1. *impudence* : insolence, audace.

2. *soufflet* : gifle.

3. *ton épée est à moi* : don Diègue a laissé tomber son épée au vers précédent.

4. *vain* : fier, orgueilleux.

5. *ne lui servira pas d'un petit ornement* : cet épisode illustrera l'histoire de ta vie (ironie insultante du Comte).

Ton impudence.
Téméraire vieillard, aura ſa récompence.

Jean Marais (Don Diègue) dans une mise en scène de Francis Huster au théâtre du Rond Point, le 2 décembre 1985.

Au fil du texte

Questions sur l'acte I, scène 3 (pages 23 à 27)

QUE S'EST-IL PASSÉ ENTRE-TEMPS ?

1. Quand a-t-on appris que le conseil devait se réunir ?

2. Quelle a été la décision du conseil ?

3. Où et quand cette scène a-t-elle lieu ?

AVEZ-VOUS BIEN LU ?

4. D'après la scène 1, pouvait-on s'attendre à la réaction du Comte ?

5. Combien de parties distinguez-vous dans cette scène ?

ÉTUDIER LA FONCTION DE LA SCÈNE DANS LA PIÈCE

6. En quoi l'affront subi par don Diègue est-il un coup de théâtre* ?

7. Après les deux premières scènes d'exposition*, pourquoi peut-on dire que la scène 3 enclenche l'action* ?

8. Quelles sont les conséquences prévisibles de ce conflit, pour Rodrigue et Chimène ?

ÉTUDIER LES CARACTÈRES

9. Pourquoi le Comte pense-t-il qu'il méritait davantage la faveur du roi ?

10. Que tente de faire don Diègue après l'affront du Comte ?

11. Pourquoi le Comte dédaigne-t-il de s'emparer de l'épée de don Diègue ?

***coup de théâtre* :** **événement inattendu et spectaculaire.**

***scène d'exposition* :** **au théâtre, scène de début présentant les personnages, le lieu et l'époque de l'action.**

***action* :** **ensemble des événements formant le commencement, le développement et le dénouement d'une pièce de théâtre.**

Étudier le discours

12. À partir de quand le ton monte-t-il entre les deux hommes ?

13. Dans les vers 215-224, relevez les arguments* avancés par chacun des personnages.

À vos plumes !

14. Vous êtes un noble castillan et vous avez été témoin de la querelle entre don Diègue et le Comte. Faites le récit de l'altercation au roi, en veillant à l'emploi des temps et en pensant à varier les termes de liaison (puis, c'est alors que, soudain, mais). Vous pourriez commencer ainsi « Je sortais du palais, Sire, lorsque je vis don Diègue et le Comte qui discutaient sur la place... ».

argument : **raison que l'on donne pour convaincre.**

Lire l'image

15. Décrivez le décor représenté dans la gravure page 28.

16. Décrivez les costumes des deux personnages. Que remarquez-vous ?

17. Que montre l'attitude des deux personnages ?

Mise en scène

18. Jouez cette scène en classe en mettant en valeur la montée de la tension, jusqu'au soufflet final.

19. Imaginez que vous entrez en conflit de rivalité (pour la fonction de délégué de classe, par exemple) avec l'un de vos camarades et improvisez la situation en suivant le schéma de cette scène (discussion sur le motif de la rivalité, tentative de conciliation de l'un des personnages, refus de l'autre, provocation et rupture finale).

Scène 4

DON DIÈGUE

DON DIÈGUE
Ô rage ! ô désespoir ! ô vieillesse ennemie !
N'ai-je donc tant vécu que pour cette infamie[1] ?
Et ne suis-je blanchi[2] dans les travaux guerriers
240 Que pour voir en un jour flétrir tant de lauriers ?
Mon bras qu'avec respect toute l'Espagne admire,
Mon bras, qui tant de fois a sauvé cet empire,
Tant de fois affermi le trône de son roi,
Trahit donc ma querelle[3] et ne fait rien pour moi ?
245 Ô cruel souvenir de ma gloire passée !
Œuvre de tant de jours en un jour effacée !
Nouvelle dignité, fatale à[4] mon bonheur !
Précipice élevé d'où tombe mon honneur !
Faut-il de votre éclat voir triompher le Comte,
250 Et mourir sans vengeance, ou vivre dans la honte ?
Comte, sois de mon prince à présent gouverneur :
Ce haut rang n'admet point un homme sans honneur ;
Et ton jaloux orgueil, par cet affront insigne[5],
Malgré le choix du Roi, m'en a su rendre indigne.
255 Et toi, de mes exploits glorieux instrument,
Mais d'un corps tout de glace[6] inutile ornement,
Fer[7], jadis tant à craindre, et qui, dans cette offense,
M'as servi de parade[8], et non pas de défense,
Va, quitte désormais le dernier des humains,
260 Passe, pour me venger, en de meilleures mains.

notes

1. infamie : déshonneur.
2. ne suis-je blanchi : n'ai-je vieilli.
3. ma querelle : ma cause.
4. fatale à : qui détruit.
5. insigne : extraordinaire.
6. tout de glace : glacé par l'âge.
7. fer : épée.
8. parade : parure inutile.

Scène 5

DON DIÈGUE, DON RODRIGUE

DON DIÈGUE

Rodrigue, as-tu du cœur[1] ?

DON RODRIGUE

Tout autre que mon père

L'éprouverait sur l'heure[2].

DON DIÈGUE

Agréable colère !

Digne ressentiment[3] à ma douleur bien doux !

Je reconnais mon sang à ce noble courroux[4] ;

265 Ma jeunesse revit en cette ardeur si prompte.

Viens, mon fils, viens, mon sang, viens réparer ma honte ;

Viens me venger.

DON RODRIGUE

De quoi ?

DON DIÈGUE

D'un affront si cruel,

Qu'à l'honneur de tous deux il porte un coup mortel :

D'un soufflet. L'insolent en eût perdu la vie ;

270 Mais mon âge a trompé ma généreuse envie :

Et ce fer que mon bras ne peut plus soutenir,

Je le remets au tien pour venger et punir.

Va contre un arrogant éprouver ton courage :

Ce n'est que dans le sang qu'on lave un tel outrage[5] ;

notes

1. cœur : courage

2. l'éprouverait sur l'heure : en aurait la preuve immédiatement.

3. digne ressentiment : noble réaction.

4. courroux : colère.

5. outrage : offense, insulte.

275 Meurs ou tue. Au surplus, pour ne te point flatter[1],
Je te donne à combattre un homme à redouter :
Je l'ai vu, tout couvert de sang et de poussière,
Porter partout l'effroi dans une armée entière.
J'ai vu par sa valeur[2] cent escadrons rompus[3] ;
280 Et pour t'en dire encor quelque chose de plus,
Plus que brave soldat, plus que grand capitaine,
C'est...

DON RODRIGUE
De grâce, achevez.

DON DIÈGUE
Le père de Chimène.

DON RODRIGUE
Le...

DON DIÈGUE
Ne réplique point, je connais ton amour ;
Mais qui peut vivre infâme[4] est indigne du jour[5].
285 Plus l'offenseur est cher, et plus grande est l'offense.
Enfin tu sais l'affront, et tu tiens la vengeance[6] :
Je ne te dis plus rien. Venge-moi, venge-toi ;
Montre-toi digne fils d'un père tel que moi.
Accablé des malheurs où le destin me range[7],
290 Je vais les déplorer[8] : va, cours, vole, et nous venge.

notes

1. pour ne te point flatter : pour ne pas te mentir.

2. valeur : courage à la guerre (vaillance).

3. escadrons rompus : armées vaincues.

4. infâme : déshonoré.

5. indigne du jour : indigne de vivre.

6. tu tiens la vengeance : tu as les moyens de me venger.

7. où le destin me range : auxquels le destin me condamne.

8. déplorer : pleurer sur.

Rodrigue (Gérard Philipe) et Don Diègue (Jean Deschamps) au TNP, dans une mise en scène de Jean Vilar, en 1951.

Au fil du texte

Questions sur l'acte I, scènes 4 et 5 (pages 32 à 34)

QUE S'EST-IL PASSÉ ENTRE-TEMPS ?

1. Que s'est-il passé dans la scène 3 ?

AVEZ-VOUS BIEN LU ?

2. Pourquoi don Diègue est-il désespéré ?

3. Que demande-t-il à Rodrigue dans la scène 5 ?

ÉTUDIER LA FONCTION DE CET EXTRAIT DANS LA PIÈCE

4. Le monologue* de don Diègue est-il nécessaire à l'action ?

5. Pourquoi est-il nécessaire que le héros* fasse son entrée en scène à ce point de la pièce ?

6. En quoi la scène 5 fait-elle penser à l'adoubement* des chevaliers médiévaux ?

ÉTUDIER LE DISCOURS THÉÂTRAL

7. Relevez les phrases exclamatives et interrogatives dans le monologue de don Diègue, et dites quels sentiments elles traduisent.

8. Au début de la scène 5, pourquoi don Diègue aborde-t-il son fils par une question ?

9. Montrez que la scène 5 n'est pas un véritable dialogue entre don Diègue et Rodrigue.

ÉTUDIER UN THÈME : L'HONNEUR FÉODAL*

10. Quels exploits don Diègue a-t-il accomplis dans le passé ?

monologue : **scène dans laquelle un seul personnage s'exprime et semble s'adresser à lui-même.**

héros : **personnage principal de l'œuvre et dont on attend des actions extraordinaires.**

adoubement : **au Moyen Âge, cérémonie au cours de laquelle le jeune noble était fait chevalier et recevait son armure (en échange, il prêtait serment de fidélité à son seigneur).**

féodal : **propre aux seigneurs médiévaux.**

11. Pourquoi un soufflet est-il un affront intolérable pour un guerrier et un homme d'honneur ?

12. Relevez le champ lexical* du déshonneur dans le monologue de don Diègue.

13. Qu'est-ce qui montre que Rodrigue partage les valeurs de son père concernant l'honneur ?

ÉTUDIER LE VOCABULAIRE ET L'ÉCRITURE

14. Comment nomme-t-on la figure de style* des vers 241-242 ?

15. Que signifie la question du vers 261 ?

16. Relevez le champ lexical de la vengeance dans la scène 5.

17. Combien de fois le terme *« sang »* est-il répété dans la scène 5 ? A-t-il toujours la même signification ?

18. Comment la révélation de l'identité de l'offenseur est-elle retardée jusqu'au vers 282 ?

19. Observez la longueur des mots dans l'hémistiche* *« va, cours, vole, et nous venge ».* Que veut suggérer Corneille ?

À VOS PLUMES !

20. Imaginez que Rodrigue refuse de tuer le père de Chimène. Écrivez un dialogue entre Rodrigue et son père où chacun essaie de convaincre l'autre à l'aide d'arguments*.

LIRE L'IMAGE

21. Photo page 35 : décrivez le geste de don Diègue.

22. Quelle réplique accompagne cette image ?

23. Décrivez l'expression de Rodrigue.

champ lexical : **ensemble des mots se rapportant à un même thème.**

figure de style : **procédé d'écriture. Exemples : métaphore, métonymie, anaphore…**

hémistiche : **la moitié d'un alexandrin, soit six syllabes.**

argument : **raison que l'on donne pour convaincre.**

Scène 6

DON RODRIGUE

DON RODRIGUE

Percé jusques au fond du cœur
D'une atteinte imprévue aussi bien que mortelle,
Misérable[1] vengeur d'une juste querelle[2],
Et malheureux objet[3] d'une injuste rigueur[4],
295 Je demeure immobile, et mon âme abattue
Cède au coup qui me tue.
Si près de voir mon feu[5] récompensé,
Ô Dieu, l'étrange[6] peine !
En cet affront mon père est l'offensé,
300 Et l'offenseur le père de Chimène !

Que je sens de rudes combats !
Contre mon propre honneur mon amour s'intéresse[7] :
Il faut venger un père, et perdre une maîtresse[8] :
L'un m'anime le cœur, l'autre retient mon bras.
305 Réduit au triste choix ou de trahir ma flamme,
Ou de vivre en infâme[9],
Des deux côtés mon mal est infini.
Ô Dieu, l'étrange peine !
Faut-il laisser un affront impuni ?
310 Faut-il punir le père de Chimène ?

notes

1. ***misérable :*** digne de pitié.
2. ***querelle :*** cause.
3. ***malheureux objet :*** victime
4. ***injuste rigueur :*** l'offense du Comte.
5. ***feu :*** amour.
6. ***étrange :*** terrible.
7. ***s'intéresse :*** prend parti.
8. ***maîtresse :*** femme aimée.
9. ***infâme :*** personne qui a perdu son honneur.

Père, maîtresse, honneur, amour,
Noble et dure contrainte, aimable tyrannie,
Tous mes plaisirs sont morts, ou ma gloire ternie.
L'un me rend malheureux, l'autre indigne du jour.
315 Cher et cruel espoir[1] d'une âme généreuse[2]
Mais ensemble[3] amoureuse,
Digne ennemi de mon plus grand bonheur,
Fer qui causes ma peine,
M'es-tu donné pour venger mon honneur ?
320 M'es-tu donné pour perdre ma Chimène ?

Il vaut mieux courir au trépas[4].
Je dois[5] à ma maîtresse aussi bien qu'à mon père :
J'attire en me vengeant sa haine et sa colère ;
J'attire ses mépris en ne me vengeant pas.
325 À mon plus doux espoir l'un me rend infidèle,
Et l'autre, indigne d'elle[6].
Mon mal augmente à le vouloir[7] guérir,
Tout redouble ma peine.
Allons, mon âme ; et puisqu'il faut mourir,
330 Mourons du moins sans offenser Chimène.

Mourir sans tirer ma raison[8] !
Rechercher un trépas si mortel à ma gloire !
Endurer que l'Espagne impute à ma mémoire[9]

notes

1. cher et cruel espoir : Rodrigue s'adresse à l'épée qu'il a reçue de son père (v. 272).

2. généreuse : noble.

3. ensemble : en même temps.

4. trépas : mort.

5. je dois : j'ai des obligations envers.

6. vers 325-326 (À mon doux […] indigne d'elle : « *l'un* » et « *l'autre* » renvoient à l'idée de se venger ou pas.

7. à le vouloir : en le voulant.

8. raison : vengeance.

9. impute à ma mémoire : m'accuse quand je serai mort.

D'avoir mal soutenu l'honneur de ma maison !
335 Respecter un amour dont mon âme égarée
Voit la perte assurée !
N'écoutons plus ce penser suborneur[1],
Qui ne sert qu'à ma peine.
Allons, mon bras, sauvons du moins l'honneur,
340 Puisqu'après tout[2] il faut perdre Chimène.

Oui, mon esprit s'était déçu[3].
Je dois tout à mon père avant qu'à ma maîtresse.
Que je meure au combat, ou meure de tristesse,
Je rendrai mon sang pur comme je l'ai reçu.
345 Je m'accuse déjà de trop de négligence :
Courons à la vengeance ;
Et tout honteux d'avoir tant balancé[4],
Ne soyons plus en peine,
Puisqu'aujourd'hui mon père est l'offensé,
350 Si l'offenseur est père de Chimène.

notes

1. ce penser suborneur : cette pensée qui détourne du devoir.

2. puisqu'après tout : puisque de toute façon.

3. déçu : trompé.

4. balancé : hésité.

Au fil du texte

Questions sur l'acte I, scène 6 (pages 38 à 40)

Que s'est-il passé entre-temps ?

1. Que vient d'apprendre Rodrigue ?

2. Quelle mission son père lui a-t-il confiée ?

Avez-vous bien lu ?

3. Quels sont les sentiments de Rodrigue au début de la scène ?

4. Quelle est sa première décision ?

5. Quelle décision l'emporte à la fin de la scène ?

Étudier la fonction de la scène dans l'œuvre

6. À quel autre monologue* cette scène fait-elle écho ?

7. Pourquoi Rodrigue ne court-il pas venger son père sur-le-champ ?

8. Décide-t-il d'agir seulement par désir d'obéissance ?

Étudier un thème : la naissance du héros

9. Avec quel dilemme* ou alternative* Rodrigue se débat-il ?

10. Que veut-on dire lorsqu'on parle d'un « dilemme cornélien » ?

11. En quoi la décision finale de Rodrigue est-elle héroïque ?

monologue : **scène dans laquelle un seul personnage s'exprime et semble s'adresser à lui-même.**

dilemme : **problème insoluble, car n'offrant que deux solutions contradictoires.**

alternative : **situation dans laquelle on ne peut choisir qu'entre deux solutions.**

Étudier l'écriture poétique

12. Cette scène est connue sous le nom de « stances du *Cid* ». Qu'appelle-t-on des stances ? Vous pouvez consulter un dictionnaire.

13. Combien de strophes* distinguez-vous dans ce monologue ?

14. Observez les rimes et la longueur des vers (le mètre) de chaque strophe. Que constatez-vous ?

15. Quels sont les deux mots qui reviennent, comme un refrain, à la fin de chaque strophe ?

16. Relevez deux oxymores* dans la troisième strophe (v. 311-320).

strophe : **groupement de vers organisé par le jeu des rimes et des mètres (longueur d'un vers).**

oxymore : **procédé d'écriture qui rapproche les contraires dans une même expression. Exemple : lumière noire.**

À vos plumes !

17. Réécrivez les deux premières strophes des stances (v. 291-310) à l'aide de vos propres mots, en essayant d'éviter les répétitions.

Scène 1

DON ARIAS, LE COMTE

LE COMTE

Je l'avoue entre nous, mon sang un peu trop chaud
S'est trop ému[1] d'un mot, et l'a porté trop haut[2] ;
Mais puisque c'en est fait, le coup est sans remède.

DON ARIAS

Qu'aux volontés du Roi ce grand courage[3] cède :
355 Il y[4] prend grande part, et son cœur irrité
Agira contre vous de pleine autorité.

notes

1. *s'est trop ému :* s'est montré trop susceptible.

2. *l'a porté trop haut :* a été trop orgueilleux.

3. *ce grand courage :* votre grand cœur.

4. *y :* à cette affaire.

Aussi, vous n'avez point de valable défense :
Le rang de l'offensé, la grandeur de l'offense
Demandent des devoirs et des submissions[1]
360 Qui passent[2] le commun des satisfactions[3].

LE COMTE
Le Roi peut à son gré disposer de ma vie.

DON ARIAS
De trop d'emportement votre faute est suivie.
Le Roi vous aime encore ; apaisez son courroux.
Il a dit : « Je le veux » ; désobéirez-vous ?

LE COMTE
365 Monsieur, pour conserver tout ce que j'ai d'estime[4],
Désobéir un peu n'est pas un si grand crime ;
Et quelque grand qu'il soit[5] mes services présents
Pour le faire abolir[6] sont plus que suffisants.

DON ARIAS
Quoi qu'on fasse d'illustre et de considérable,
370 Jamais à son sujet un roi n'est redevable.
Vous vous flattez beaucoup, et vous devez savoir
Que qui sert bien son roi ne fait que son devoir[7].
Vous vous perdrez, Monsieur, sur[8] cette confiance.

notes

1. ***submissions :*** marques de soumission.

2. ***passent :*** dépassent.

3. ***satisfactions :*** excuses, réparations.

4. ***estime :*** honneur, réputation.

5. ***quelque grand qu'il soit :*** quelle que soit l'importance de ce crime.

6. ***abolir :*** pardonner par le roi.

7. ***devoir :*** obligation morale du héros cornélien.

8. ***sur :*** en vous fondant sur.

LE COMTE
Je ne vous en croirai qu'après l'expérience.

DON ARIAS
375 Vous devez redouter la puissance d'un roi.

LE COMTE
Un jour seul ne perd pas[1] un homme tel que moi.
Que toute sa grandeur s'arme pour mon supplice,
Tout l'État périra, s'il faut que je périsse.

DON ARIAS
Quoi ! vous craignez si peu le pouvoir souverain...

LE COMTE
380 D'un sceptre[2] qui sans moi tomberait de sa main ?
Il a trop d'intérêt lui-même en ma personne,
Et ma tête en tombant ferait choir sa couronne.

DON ARIAS
Souffrez que la raison remette vos esprits.
Prenez un bon conseil[3].

LE COMTE
Le conseil en est pris.

DON ARIAS
385 Que lui dirai-je enfin ? je lui dois rendre conte[4].

LE COMTE
Que je ne puis du tout consentir à ma honte[5].

notes

1. un jour seul ne perd pas : un seul jour ne peut détruire.

2. sceptre : le sceptre, comme la couronne, est un symbole du pouvoir royal.

3. conseil : décision.

4. conte : compte.

5. consentir à ma honte : en acceptant de présenter des excuses à don Diègue.

DON ARIAS
Mais songez que les rois veulent être absolus.

LE COMTE
Le sort en est jeté, Monsieur, n'en parlons plus.

DON ARIAS
Adieu donc, puisqu'en vain je tâche à vous résoudre :
390 Avec tous vos lauriers, craignez encor le foudre[1].

LE COMTE
Je l'attendrai sans peur.

DON ARIAS
Mais non pas sans effet[2].

LE COMTE
Nous verrons donc par là don Diègue satisfait.
(Il est seul.)
Qui ne craint point la mort ne craint point les menaces.
J'ai le cœur au-dessus des plus fières[3] disgrâces[4] ;
395 Et l'on peut me réduire à vivre sans bonheur,
Mais non pas me résoudre à vivre sans honneur.

notes

1. le foudre : la colère du roi.

2. sans effet : la certitude que le roi punira.

3. fières : cruelles.

4. disgrâces : hostilité, défaveur.

Scène 2

LE COMTE, DON RODRIGUE

DON RODRIGUE
À moi, Comte, deux mots.

LE COMTE
Parle.

DON RODRIGUE
Ôte-moi d'un doute.
Connais-tu bien don Diègue ?

LE COMTE
Oui.

DON RODRIGUE
Parlons bas ; écoute.
Sais-tu que ce vieillard fut la même vertu[1],
400 La vaillance[2] et l'honneur de son temps ? le sais-tu ?

LE COMTE
Peut-être.

DON RODRIGUE
Cette ardeur que dans les yeux je porte,
Sais-tu que c'est son sang ? le sais-tu ?

LE COMTE
Que m'importe ?

DON RODRIGUE
À quatre pas d'ici je te le fais savoir.

notes

1. la même vertu : la vertu même, c'est-à-dire le courage incarné.

2. la vaillance : un guerrier héroïque.

A quatre pas d'ici je te le fais savoir.

LE COMTE
Jeune présomptueux !

DON RODRIGUE
Parle sans t'émouvoir[1].
405 Je suis jeune, il est vrai ; mais aux âmes bien nées[2]
La valeur n'attend point le nombre des années.

LE COMTE
Te mesurer à moi ! qui t'a rendu si vain[3],
Toi qu'on n'a jamais vu les armes à la main ?

DON RODRIGUE
Mes pareils[4] à deux fois ne se font point connaître,
410 Et pour leurs coups d'essai veulent des coups de maître.

LE COMTE
Sais-tu bien qui je suis ?

DON RODRIGUE
Oui ; tout autre que moi
Au seul bruit de ton nom pourrait trembler d'effroi.
Les palmes[5] dont je vois ta tête si couverte
Semblent porter écrit le destin de ma perte.
415 J'attaque en téméraire un bras toujours vainqueur ;
Mais j'aurai trop de force, ayant assez de cœur.
À qui venge son père il n'est rien impossible.
Ton bras est invaincu, mais non pas invincible.

notes

1. sans t'émouvoir : sans perdre ton calme.

2. âmes bien nées : gens de noble naissance.

3. vain : sûr de toi, orgueilleux.

4. mes pareils : mes semblables.

5. les palmes : les lauriers.

Don Gomès, comte de Gormas, père de Chimène.

LE COMTE
Ce grand cœur qui paraît aux discours que tu tiens,
420 Par tes yeux, chaque jour, se découvrait aux miens[1] ;
Et croyant voir en toi l'honneur de la Castille,
Mon âme avec plaisir te destinait ma fille.
Je sais ta passion[2], et suis ravi de voir
Que tous ses mouvements[3] cèdent à ton devoir ;
425 Qu'ils n'ont point affaibli cette ardeur magnanime[4] ;
Que ta haute vertu répond à mon estime ;
Et que voulant pour gendre un cavalier parfait,
Je ne me trompais point au choix que j'avais fait ;
Mais je sens que pour toi ma pitié s'intéresse[5] ;
430 J'admire ton courage, et je plains ta jeunesse.
Ne cherche point à faire un coup d'essai fatal ;
Dispense ma valeur d'un combat inégal ;
Trop peu d'honneur pour moi suivrait cette victoire :
À vaincre sans péril, on triomphe sans gloire.
435 On te croirait toujours abattu sans effort ;
Et j'aurais seulement le regret de ta mort.

DON RODRIGUE
D'une indigne[6] pitié ton audace est suivie :
Qui m'ose ôter l'honneur craint de m'ôter la vie ?

LE COMTE
Retire-toi d'ici.

DON RODRIGUE
Marchons sans discourir[7].

notes

1. aux miens : à mes yeux.
2. ta passion : ton amour pour Chimène.
3. ses mouvements : la force de ton amour.
4. magnanime : héroïque.
5. s'intéresse : s'émeut.
6. indigne : inconvenante.
7. discourir : parler.

LE COMTE

440 Es-tu si las de vivre ?

DON RODRIGUE

As-tu peur de mourir ?

LE COMTE

Viens, tu fais ton devoir[1], et le fils dégénère[2]
Qui survit un moment à l'honneur de son père.

notes

1. *devoir :* obligation morale du héros cornélien.

2. *dégénère :* est indigne, déchoît.

Au fil du texte

Questions sur l'acte II, scène 2 (pages 47 à 52)

QUE S'EST-IL PASSÉ ENTRE-TEMPS ?

1. Qu'a décidé Rodrigue à la fin de l'acte I ?

2. Que s'est-il passé dans la scène précédente ?

3. Quel trait de caractère du Comte a été confirmé ?

AVEZ-VOUS BIEN LU ?

4. Comment Rodrigue s'y prend-il pour provoquer le Comte en duel ?

5. Quelle est la première réaction du Comte (vers 397-411) ?

6. Quels sentiments le Comte éprouve-t-il ensuite, face à la détermination de Rodrigue (vers 419-436) ?

7. Pourquoi le Comte finit-il par accepter le duel ?

argument : **raison que l'on donne pour convaincre.**

maxime **ou** ***proverbe :*** **courte phrase exprimant une vérité générale.**

ÉTUDIER LE DISCOURS

8. Pourquoi Rodrigue utilise-t-il le tutoiement pour s'adresser au Comte ?

9. Observez la longueur des répliques des vers 397-411 et 437-442. Que remarquez-vous ?

10. Pourquoi peut-on dire que cette scène est un duel de mots ?

11. Quels arguments* Rodrigue emploie-t-il pour convaincre le Comte de se battre (vers 405-438) ?

12. Relevez des maximes* (ou proverbes*) dans le discours de chacun des personnages.

Étudier le vocabulaire et la grammaire

13. Quel est le sens de la préposition *« aux »* du vers 405 ?

14. Reformulez, dans vos propres mots, les vers 405-406.

15. Relevez le champ lexical* du courage dans les vers 415-430.

16. Donnez la nature et la fonction de *« qui »* (v. 442). L'ordre des mots serait-il le même en français moderne ?

champ lexical : **ensemble des mots se rapportant à un même thème.**

didascalie : **indication de mise en scène donnée par l'auteur.**

Mise en scène

17. Jouez cette scène en classe, en tâchant de respecter le rythme et la tension donnés par Corneille, ainsi que les caractères des deux personnages : le courage de Rodrigue et l'arrogance hautaine du Comte.

À vos plumes !

18. Deux de vos camarades se sont disputés, ils se font des reproches et décident finalement de s'en remettre à l'arbitrage d'une tierce personne (professeur, camarade, principal) : transcrivez le dialogue comme au théâtre, sans oublier les didascalies*.

Scène 3

L'INFANTE, CHIMÈNE, LÉONOR

L'INFANTE

Apaise, ma Chimène, apaise ta douleur :
Fais agir ta constance[1] en ce coup de malheur.
445 Tu reverras le calme après ce faible orage ;
Ton bonheur n'est couvert que d'un peu de nuage,
Et tu n'as rien perdu pour le voir différer[2].

CHIMÈNE

Mon cœur outré d'ennuis[3] n'ose rien espérer.
Un orage si prompt qui trouble une bonace[4]
450 D'un naufrage certain nous porte la menace :
Je n'en saurais douter, je péris dans le port.
J'aimais, j'étais aimée, et nos pères d'accord ;
Et je vous en contais la charmante nouvelle,
Au malheureux moment que[5] naissait leur querelle,
455 Dont le récit fatal, sitôt qu'on vous l'a fait,
D'une si douce attente a ruiné l'effet[6].
Maudite ambition, détestable manie[7],
Dont les plus généreux souffrent[8] la tyrannie !
Honneur impitoyable à mes plus chers désirs,
460 Que tu vas me coûter de pleurs et de soupirs !

L'INFANTE

Tu n'as dans leur querelle aucun sujet de craindre :
Un moment l'a fait naître, un moment va l'éteindre.

notes

1. constance : courage
2. différer : retarder.
3. outré d'ennuis : accablé de souffrances.
4. bonace : calme marin.
5. que : où.
6. l'effet : l'accomplissement.
7. manie : folie. Il s'agit de l'ambition.
8. souffrent : subissent.

Elle a fait trop de bruit pour ne pas s'accorder[1],
Puisque déjà le Roi les veut accommoder[2] ;
465 Et tu sais que mon âme, à tes ennuis sensible,
Pour en tarir la source y fera l'impossible.

CHIMÈNE
Les accommodements ne font rien en ce point ;
De si mortels affronts ne se réparent point.
En vain on fait agir la force ou la prudence :
470 Si l'on guérit le mal, ce n'est qu'en apparence.
La haine que les cœurs conservent au dedans
Nourrit des feux cachés, mais d'autant plus ardents.

L'INFANTE
Le saint nœud[3] qui joindra don Rodrigue et Chimène
Des pères ennemis dissipera la haine ;
475 Et nous verrons bientôt votre amour le plus fort
Par un heureux hymen étouffer ce discord[4].

CHIMÈNE
Je le souhaite ainsi plus que je ne l'espère :
Don Diègue est trop altier[5] et je connais mon père.
Je sens couler des pleurs que je veux retenir ;
480 Le passé me tourmente, et je crains l'avenir.

L'INFANTE
Que crains-tu ? d'un vieillard l'impuissante faiblesse ?

CHIMÈNE
Rodrigue a du courage.

notes

1. s'accorder : se résoudre à l'amiable.

2. accommoder : réconcilier.

3. saint nœud : mariage.

4. discord : discorde.

5. altier : fier.

L'INFANTE

Il a trop de jeunesse.

CHIMÈNE

Les hommes valeureux le sont du premier coup.

L'INFANTE

Tu ne dois pas pourtant le redouter beaucoup :
485 Il est trop amoureux pour te vouloir déplaire,
Et deux mots de ta bouche arrêtent sa colère.

CHIMÈNE

S'il ne m'obéit point, quel comble à mon ennui[1] !
Et s'il peut m'obéir, que dira-t-on de lui ?
Étant né ce qu'il est, souffrir[2] un tel outrage !
490 Soit qu'il cède ou résiste au feu qui me l'engage,
Mon esprit ne peut qu'être ou honteux ou confus[3],
De son trop de respect, ou d'un juste refus.

L'INFANTE

Chimène a l'âme haute, et quoiqu'intéressée[4],
Elle ne peut souffrir une basse pensée ;
495 Mais si jusques au jour de l'accommodement
Je fais mon prisonnier de ce parfait amant[5]
Et que j'empêche ainsi l'effet de son courage[6],
Ton esprit amoureux n'aura-t-il point d'ombrage[7] ?

CHIMÈNE

Ah ! Madame, en ce cas je n'ai plus de souci.

notes

1. *quel comble à mon ennui* : quel excès de douleur.

2. *souffrir* : tolérer.

3. *confus* : bouleversé.

4. *intéressée* : amoureuse.

5. *amant* : amoureux, prétendant.

6. *l'effet de son courage* : son passage à l'acte.

7. *ombrage* : tristesse, rancune.

Scène 4

L'INFANTE, CHIMÈNE, LÉONOR, LE PAGE

L'INFANTE

500 Page, cherchez Rodrigue, et l'amenez ici.

LE PAGE

Le comte de Gormas et lui...

CHIMÈNE

Bon Dieu ! je tremble.

L'INFANTE

Parlez.

LE PAGE

De ce palais ils sont sortis ensemble.

CHIMÈNE

Seuls ?

LE PAGE

Seuls, et qui semblaient tout bas se quereller.

CHIMÈNE

Sans doute ils sont aux mains[1], il n'en faut plus parler[2].

505 Madame, pardonnez à cette promptitude[3].

notes

1. ***ils sont aux mains :*** ils se battent.

2. ***il n'en faut plus parler :*** de la solution proposée par l'Infante aux vers 495-498.

3. ***cette promptitude :*** ma hâte à sortir.

Scène 5

L'INFANTE, LÉONOR

L'INFANTE
Hélas ! que dans l'esprit je sens d'inquiétude !
Je pleure ses malheurs, son amant me ravit[1] ;
Mon repos m'abandonne, et ma flamme revit.
Ce qui va séparer Rodrigue de Chimène
510 Fait renaître à la fois mon espoir et ma peine ;
Et leur division, que je vois à regret,
Dans mon esprit charmé jette un plaisir secret.

LÉONOR
Cette haute vertu[2] qui règne dans votre âme
Se rend-elle sitôt à cette lâche flamme ?

L'INFANTE
515 Ne la nomme point lâche, à présent que chez moi
Pompeuse[3] et triomphante elle me fait la loi :
Porte-lui du respect, puisqu'elle m'est si chère.
Ma vertu la combat, mais malgré moi j'espère ;
Et d'un si fol espoir mon cœur mal défendu
520 Vole après un amant que Chimène a perdu.

LÉONOR
Vous laissez choir ainsi ce glorieux courage,
Et la raison chez vous perd ainsi son usage[4] ?

notes

1. me ravit : m'inspire de l'amour.

2. vertu : force morale due au mérite.

3. pompeuse : majestueuse.

4. vers 522 (Et la raison** [...] **usage ?) : et vous n'êtes plus capable de vous montrer raisonnable.

L'Infante (Cristina Réali)
et Léonor (Élisabeth Rodriguez)
dans une mise en scène
de Francis Huster,
au théâtre Marigny,
le 7 janvier 1994.

L'INFANTE

Ah ! qu'avec peu d'effet[1] on entend la raison,
Quand le cœur est atteint d'un si charmant[2] poison !
525 Et lorsque le malade aime sa maladie,
Qu'il a peine à souffrir que l'on y remédie !

LÉONOR

Votre espoir vous séduit[3], votre mal vous est doux ;
Mais enfin ce Rodrigue est indigne de vous.

L'INFANTE

Je ne le sais que trop ; mais si ma vertu cède,
530 Apprends comme l'amour flatte[4] un cœur qu'il possède.
Si Rodrigue une fois sort vainqueur du combat,
Si dessous[5] sa valeur ce grand guerrier s'abat,
Je puis en faire cas, je puis l'aimer sans honte.
Que ne fera-t-il point, s'il peut vaincre le Comte ?
535 J'ose m'imaginer qu'à ses moindres exploits
Les royaumes entiers tomberont sous ses lois ;
Et mon amour flatteur déjà me persuade
Que je le vois assis au trône de Grenade,
Les Mores[6] subjugués trembler en l'adorant,
540 L'Aragon recevoir ce nouveau conquérant,
Le Portugal[7] se rendre, et ses nobles journées[8]
Porter delà les mers ses hautes destinées,
Du sang des Africains arroser ses lauriers :

notes

1. effet : résultat.

2. charmant : puissant, envoûtant.

3. séduit : trompe.

4. flatte : fait illusion sur.

5. dessous : sous.

6. les Mores (ou Maures) : les Musulmans qui ont conquis une grande partie de l'Espagne à partir de 711.

7. le Portugal : alors occupé par les Maures.

8. journées : batailles.

Enfin tout ce qu'on dit des plus fameux guerriers,
545 Je l'attends de Rodrigue après cette victoire,
Et fais de son amour[1] un sujet de ma gloire.

LÉONOR
Mais, Madame, voyez où vous portez son bras[2]
Ensuite[3] d'un combat qui peut-être n'est pas[4].

L'INFANTE
Rodrigue est offensé ; le Comte a fait l'outrage ;
550 Ils sont sortis ensemble : en faut-il davantage ?

LÉONOR
Eh bien ! ils se battront, puisque vous le voulez ;
Mais Rodrigue ira-t-il si loin[5] que vous allez ?

L'INFANTE
Que veux-tu ? je suis folle, et mon esprit s'égare :
Tu vois par là quels maux cet amour me prépare.
555 Viens dans mon cabinet[6] consoler mes ennuis,
Et ne me quitte point dans le trouble où je suis.

notes

1. son amour : l'amour que j'ai pour lui.

2. où vous portez son bras : quels exploits vous imaginez.

3. ensuite : à la suite.

4. n'est pas : n'a pas lieu.

5. si loin : aussi loin.

6. cabinet : petite pièce située à l'écart.

Scène 6

DON FERNAND, DON ARIAS, DON SANCHE

DON FERNAND

Le Comte est donc si vain[1] et si peu raisonnable !
Ose-t-il croire encor son crime pardonnable ?

DON ARIAS

Je l'ai de votre part longtemps entretenu ;
560 J'ai fait mon pouvoir[2], Sire, et n'ai rien obtenu.

DON FERNAND

Justes cieux ! ainsi donc un sujet téméraire
A si peu de respect et de soin[3] de me plaire !
Il offense don Diègue, et méprise son roi !
Au milieu de ma cour il me donne la loi !
565 Qu'il soit brave guerrier, qu'il soit grand capitaine,
Je saurai bien rabattre une humeur si hautaine[4].
Fût-il la valeur même, et le dieu des combats,
Il verra ce que c'est que de n'obéir pas.
Quoi qu'ait pu mériter une telle insolence,
570 Je l'ai voulu d'abord traiter sans violence ;
Mais puisqu'il en abuse, allez dès aujourd'hui,
Soit qu'il résiste ou non, vous assurer de lui[5].

DON SANCHE

Peut-être un peu de temps le rendrait moins rebelle :
On l'a pris tout bouillant encor de sa querelle ;

notes

1. ***vain :*** orgueilleux.
2. ***mon pouvoir :*** mon possible.
3. ***soin :*** souci.
4. ***une humeur si hautaine :*** un caractère aussi fier.
5. ***vous assurer de lui :*** l'arrêter.

575 Sire, dans la chaleur d'un premier mouvement,
Un cœur si généreux se rend malaisément[1].
Il voit bien qu'il a tort, mais une âme si haute
N'est pas sitôt[2] réduite à confesser sa faute.

DON FERNAND
Don Sanche, taisez-vous, et soyez averti
580 Qu'on se rend criminel à prendre son parti.

DON SANCHE
J'obéis, et me tais ; mais de grâce encor, Sire,
Deux mots en sa défense.

DON FERNAND
Et que pouvez-vous dire ?

DON SANCHE
Qu'une âme accoutumée aux grandes actions
Ne se peut abaisser à des submissions[3] :
585 Elle n'en conçoit point qui s'expliquent sans honte[4],
Et c'est à ce mot seul qu'a résisté le Comte.
Il trouve en son devoir un peu trop de rigueur,
Et vous obéirait, s'il avait moins de cœur.
Commandez que son bras, nourri dans les alarmes[5],
590 Répare cette injure à la pointe des armes,
Il satisfera, Sire ; et vienne qui voudra,
Attendant qu'il l'ait su, voici qui[6] répondra.

notes

1. malaisément : difficilement.

2. sitôt : si vite.

3. submissions : excuses.

4. vers 585 (Elle n'en conçoit [...] honte) : présenter ses excuses est une honte aux yeux du Comte.

5. nourri dans les alarmes : formé dans les combats.

6. voici qui : voici ce qui (Don Sanche montre son épée).

DON FERNAND

Vous perdez le respect ; mais je pardonne à l'âge,
Et j'excuse l'ardeur en un jeune courage[1].
595 Un roi dont la prudence a de meilleurs objets
Est meilleur ménager[2] du sang de ses sujets :
Je veille pour les miens, mes soucis les conservent,
Comme le chef[3] a soin des membres qui le servent.
Ainsi votre raison n'est pas raison pour moi :
600 Vous parlez en soldat ; je dois agir en roi ;
Et quoi qu'on veuille dire, et quoi qu'il ose croire,
Le Comte à m'obéir[4] ne peut perdre sa gloire.
D'ailleurs l'affront me touche : il a perdu d'honneur[5]
Celui que de mon fils j'ai fait le gouverneur ;
605 S'attaquer à mon choix, c'est se prendre à moi-même,
Et faire un attentat sur le pouvoir suprême.
N'en parlons plus. Au reste, on a vu dix vaisseaux
De nos vieux ennemis arborer les drapeaux ;
Vers la bouche du fleuve[6] ils ont osé paraître.

DON ARIAS

610 Les Mores ont appris par force à vous connaître,
Et tant de fois vaincus, ils ont perdu le cœur[7]
De se plus hasarder[8] contre un si grand vainqueur.

DON FERNAND

Ils ne verront jamais sans quelque jalousie
Mon sceptre, en dépit d'eux, régir l'Andalousie ;

notes

1. ***courage* :** cœur.
2. ***meilleur ménager* :** plus économe.
3. ***le chef* :** la tête.
4. ***à m'obéir* :** en m'obéissant.
5. ***a perdu d'honneur* :** a déshonoré.
6. ***la bouche du fleuve* :** l'embouchure du fleuve Guadalquivir.
7. ***le cœur* :** le courage.
8. ***de se plus hasarder* :** de prendre de nouveaux risques.

615 Et ce pays si beau, qu'ils ont trop possédé,
Avec un œil d'envie est toujours regardé.
C'est l'unique raison qui m'a fait dans Séville
Placer depuis dix ans le trône de Castille,
Pour les voir de plus près, et d'un ordre plus prompt[1]
620 Renverser aussitôt ce qu'ils entreprendront.

DON ARIAS
Ils savent aux dépens de leurs plus dignes têtes[2]
Combien votre présence assure vos conquêtes :
Vous n'avez rien à craindre.

DON FERNAND
Et rien à négliger :
Le trop de confiance attire le danger ;
625 Et vous n'ignorez pas qu'avec fort peu de peine[3]
Un flux de pleine mer jusqu'ici[4] les amène.
Toutefois j'aurais tort de jeter dans les cœurs,
L'avis étant mal sûr[5], de paniques terreurs.
L'effet que produirait cette alarme inutile,
630 Dans la nuit qui survient troublerait trop la ville :
Faites doubler la garde aux murs et sur le port.
C'est assez pour ce soir.

notes

1. *d'un ordre plus prompt* : par une réaction rapide.

2. *leurs plus dignes têtes* : leurs chefs et leurs rois.

3. *avec fort peu de peine* : très facilement.

4. *jusqu'ici* : jusqu'à Séville, située sur l'estuaire du Guadalquivir.

5. *l'avis étant mal sûr* : la nouvelle étant incertaine.

Scène 7

DON FERNAND, DON SANCHE, DON ALONSE

DON ALONSE

Sire, le Comte est mort.
Don Diègue, par son fils, a vengé son offense.

DON FERNAND

Dès que j'ai su l'affront, j'ai prévu la vengeance ;
635 Et j'ai voulu dès lors prévenir[1] ce malheur.

DON ALONSE

Chimène à vos genoux apporte sa douleur ;
Elle vient tout en pleurs vous demander justice.

DON FERNAND

Bien qu'à ses déplaisirs[2] mon âme compatisse,
Ce que le Comte a fait semble avoir mérité
640 Ce digne châtiment de sa témérité.
Quelque juste pourtant que puisse être sa peine[3],
Je ne puis sans regret perdre un tel capitaine.
Après un long service à mon État rendu,
Après son sang pour moi mille fois répandu,
645 À quelques sentiments que son orgueil m'oblige[4],
Sa perte m'affaiblit, et son trépas m'afflige[5].

notes

1. ***prévenir :*** empêcher.
2. ***déplaisirs :*** chagrin.
3. ***sa peine :*** la punition du Comte.
4. ***vers 645 (À quelques*** **[...]** ***m'oblige) :*** bien que son orgueil ait provoqué ma colère.
5. ***m'afflige :*** m'attriste.

Scène 8

DON FERNAND, DON DIÈGUE, CHIMÈNE, DON SANCHE, DON ARIAS, DON ALONSE

CHIMÈNE
Sire, Sire, justice !

DON DIÈGUE
Ah ! Sire, écoutez-nous.

CHIMÈNE
Je me jette à vos pieds.

DON DIÈGUE
J'embrasse[1] vos genoux.

CHIMÈNE
Je demande justice.

DON DIÈGUE
Entendez ma défense.

CHIMÈNE
650 D'un jeune audacieux punissez l'insolence :
Il a de votre sceptre[2] abattu le soutien,
Il a tué mon père.

DON DIÈGUE
Il a vengé le sien.

CHIMÈNE
Au sang de ses sujets un roi doit la justice.

notes

1. *j'embrasse* : *embrasser* signifie « entourer de ses bras ».

2. *sceptre* : symbole du pouvoir royal, avec la couronne.

DON DIÈGUE
Pour la juste vengeance il n'est point de supplice.

DON FERNAND
655 Levez-vous l'un et l'autre, et parlez à loisir.
Chimène, je prends part à votre déplaisir ;
D'une égale douleur, je sens mon âme atteinte.
(À Don Diègue.)
Vous parlerez après, ne troublez pas sa plainte.

CHIMÈNE
Sire, mon père est mort ; mes yeux ont vu son sang
660 Couler à gros bouillons de son généreux[1] flanc ;
Ce sang qui tant de fois garantit vos murailles,
Ce sang qui tant de fois vous gagna des batailles,
Ce sang qui tout sorti fume encor de courroux[2]
De se voir répandu pour d'autres que pour vous,
665 Qu'au milieu des hasards[3] n'osait verser la guerre,
Rodrigue en votre cour vient d'en couvrir la terre.
J'ai couru sur le lieu, sans force et sans couleur :
Je l'ai trouvé sans vie. Excusez ma douleur,
Sire, la voix me manque à ce récit funeste ;
670 Mes pleurs et mes soupirs vous diront mieux le reste.

DON FERNAND
Prends courage, ma fille, et sache qu'aujourd'hui
Ton roi te veut servir de père au lieu de lui.

CHIMÈNE
Sire, de trop d'honneur ma misère est suivie.
Je vous l'ai déjà dit, je l'ai trouvé sans vie ;
675 Son flanc était ouvert ; et pour mieux m'émouvoir,

notes

1. généreux : noble. **2. courroux :** colère. **3. hasards :** dangers.

Son sang sur la poussière écrivait mon devoir ;
Ou plutôt sa valeur en cet état réduite[1]
Me parlait par sa plaie, et hâtait ma poursuite[2] ;
Et pour se faire entendre au plus juste des rois,
680 Par cette triste bouche[3] elle empruntait ma voix.
Sire, ne souffrez pas[4] que sous votre puissance
Règne devant vos yeux une telle licence[5] ;
Que les plus valeureux, avec impunité[6],
Soient exposés aux coups de la témérité ;
685 Qu'un jeune audacieux triomphe de leur gloire,
Se baigne dans leur sang, et brave leur mémoire.
Un si vaillant guerrier qu'on vient de vous ravir
Éteint, s'il n'est vengé, l'ardeur de vous servir.
Enfin mon père est mort, j'en demande vengeance,
690 Plus pour votre intérêt que pour mon allégeance[7].
Vous perdez en la mort d'un homme de son rang :
Vengez-la par une autre, et le sang par le sang.
Immolez[8], non à moi, mais à votre couronne,
Mais à votre grandeur, mais à votre personne,
695 Immolez, dis-je, Sire, au bien de tout l'État
Tout ce[9] qu'enorgueillit un si haut attentat.

DON FERNAND
Don Diègue, répondez.

notes

1. en cet état réduite : anéantie par la mort.

2. hâtait ma poursuite : me pressait de poursuivre son meurtrier.

3. cette triste bouche : la plaie.

4. ne souffrez pas : ne tolérez pas.

5. licence : mépris des lois.

6. avec impunité : à cause de l'absence de punition.

7. allégeance : apaisement, consolation.

8. immolez : sacrifiez.

9. tout ce : don Diègue et son fils.

Chimène (Marianne Basler) dans une mise en scène de Gérard Desarthe, au théâtre de Bobigny, le 16 janvier 1988.

DON DIÈGUE

Qu'on est digne d'envie
Lorsqu'en perdant la force on perd aussi la vie,
Et qu'un long âge[1] apprête[2] aux hommes généreux,
700 Au bout de leur carrière[3], un destin malheureux !
Moi, dont les longs travaux ont acquis tant de gloire,
Moi, que jadis partout a suivi la victoire,
Je me vois aujourd'hui, pour avoir trop vécu,
Recevoir un affront et demeurer vaincu.
705 Ce que n'a pu jamais combat, siège, embuscade,
Ce que n'a pu jamais Aragon ni Grenade,
Ni tous vos ennemis, ni tous mes envieux,
Le Comte en votre cour l'a fait presque à vos yeux,
Jaloux de votre choix, et fier de l'avantage
710 Que lui donnait sur moi l'impuissance de l'âge.
Sire, ainsi ces cheveux blanchis sous le harnois[4],
Ce sang pour vous servir prodigué[5] tant de fois,
Ce bras, jadis l'effroi d'une armée ennemie,
Descendaient au tombeau tout chargés d'infamie,
715 Si je n'eusse produit un fils digne de moi,
Digne de son pays et digne de son roi.
Il m'a prêté sa main, il a tué le Comte ;
Il m'a rendu l'honneur, il a lavé ma honte.
Si montrer du courage et du ressentiment[6],
720 Si venger un soufflet mérite un châtiment,
Sur moi seul doit tomber l'éclat de la tempête :
Quand le bras a failli[7], l'on en punit la tête.

notes

1. un long âge : une longue vie.

2. apprête : prépare.

3. carrière : vie.

4. sous le harnois : sous l'armure, à la guerre.

5. prodigué : répandu.

6. ressentiment : le fait de ressentir la douleur.

7. a failli : a fait une faute.

Qu'on nomme crime, ou non, ce qui fait nos débats,
Sire, j'en suis la tête, il n'en est que le bras.
725 Si Chimène se plaint qu'il a tué son père,
Il ne l'eût jamais fait si je l'eusse pu faire.
Immolez donc ce chef que les ans vont ravir[1],
Et conservez pour vous le bras qui peut servir.
Aux dépens de mon sang satisfaites Chimène :
730 Je n'y résiste point, je consens à ma peine ;
Et loin de murmurer d'un rigoureux décret[2],
Mourant sans déshonneur, je mourrai sans regret.

DON FERNAND
L'affaire est d'importance, et, bien considérée,
Mérite en plein conseil d'être délibérée.
735 Don Sanche, remettez Chimène en sa maison.
Don Diègue aura ma cour et sa foi[3] pour prison.
Qu'on me cherche son fils. Je vous ferai justice.

CHIMÈNE
Il est juste, grand Roi, qu'un meurtrier périsse.

DON FERNAND
Prends du repos, ma fille, et calme tes douleurs.

CHIMÈNE
740 M'ordonner du repos, c'est croître[4] mes malheurs.

notes

1. *ce chef que les ans vont ravir :* cette tête que la mort va emporter.

2. *murmurer d'un rigoureux décret :* protester contre un verdict sévère.

3. *sa foi :* promesse de ne pas fuir.

4. *croître :* augmenter.

Au fil du texte

Questions sur l'acte II, scène 8 (pages 68 à 73)

QUE S'EST-IL PASSÉ ENTRE-TEMPS ?

1. Qu'avait décidé Don Fernand au sujet du Comte (scène 6) ?

2. Quand a-t-on appris la mort du Comte ?

argument : raison que l'on donne pour convaincre.

AVEZ-VOUS BIEN LU ?

3. Que vient de voir Chimène ?

4. Que demande-t-elle au roi ?

ÉTUDIER LA PLACE DE LA SCÈNE DANS LA PIÈCE

5. À quel moment de l'acte et de la pièce sommes-nous ?

6. Quelle décision est prise à la fin de cette scène ?

7. Qu'attendons-nous de l'acte III ?

ÉTUDIER LE DISCOURS

8. Combien de parties distinguez-vous dans cette scène ?

9. Pourquoi les premières répliques sont-elles si courtes ?

10. Quels sont les arguments* avancés par Chimène pour obtenir justice ?

11. Comment don Diègue défend-il Rodrigue ?

12. Pourquoi peut-on dire que cette scène ressemble à un procès ?

ÉTUDIER L'ÉCRITURE

13. Combien de fois Chimène emploie-t-elle le mot *« sang »* ?

14. Par quelle figure de style* ce terme est-il mis en valeur aux vers 661-663 ?

15. Quelle impression produit la description de la mort du Comte par Chimène ?

16. Relevez les métonymies* dans la tirade* de don Diègue (vers 711-728) et donnez leur signification.

figure de style : **procédé d'écriture. Exemple : métaphore, métonymie*, anaphore, etc.**

métonymie : **figure de style qui consiste à désigner une chose par une autre, qui lui est proche. Exemples : *le fer* pour l'épée, *le bras* pour une personne, *la ville* pour les habitants.**

tirade : **au théâtre, longue suite de vers ou de phrases récitée par un personnage.**

À VOS PLUMES !

17. Imaginez que Chimène rencontre Rodrigue juste après la mort du Comte. Écrivez le dialogue entre les deux personnages, en tenant compte de leurs sentiments respectifs : la colère et le désespoir de Chimène, l'accablement de Rodrigue.

LIRE L'IMAGE

18. Photo page 71 : quelle est l'expression de Chimène ?

19. Que montre-t-elle au roi ?

20. Trouvez dans la scène les répliques qui accompagnent cette image.

Acte III

Scène 1

DON RODRIGUE, ELVIRE

(Chez Chimène.)

ELVIRE
Rodrigue, qu'as-tu fait ? où viens-tu, misérable ?

DON RODRIGUE
Suivre le triste cours de mon sort déplorable.

ELVIRE
Où prends-tu cette audace et ce nouvel orgueil,
De paraître en des lieux que tu remplis de deuil ?
745 Quoi ? viens-tu jusqu'ici braver[1] l'ombre du Comte ?
Ne l'as-tu pas tué ?

notes

1. **braver :** provoquer.

DON RODRIGUE

Sa vie était ma honte :
Mon honneur de ma main a voulu cet effort.

ELVIRE

Mais chercher ton asile en la maison du mort !
Jamais un meurtrier en fit-il son refuge ?

DON RODRIGUE

750 Et je n'y viens aussi que m'offrir[1] à mon juge.
Ne me regarde plus d'un visage étonné ;
Je cherche le trépas[2] après l'avoir donné.
Mon juge est mon amour, mon juge est ma Chimène :
Je mérite la mort de mériter sa haine,
755 Et j'en viens recevoir, comme un bien souverain,
Et l'arrêt de sa bouche[3], et le coup de sa main.

ELVIRE

Fuis plutôt de[4] ses yeux, fuis de sa violence ;
À ses premiers transports[5] dérobe ta présence :
Va, ne t'expose point aux premiers mouvements
760 Que poussera[6] l'ardeur de ses ressentiments.

DON RODRIGUE

Non, non, ce cher objet[7] à qui j'ai pu déplaire
Ne peut pour mon supplice avoir trop de colère
Et j'évite cent morts[8] qui me vont accabler,
Si pour mourir plus tôt je puis la redoubler[9].

notes

1. que m'offrir : que pour m'offrir.

2. trépas : mort.

3. l'arrêt de sa bouche : ma condamnation par elle.

4. fuis plutôt de : fuis loin de.

5. transports : colère.

6. que poussera : que provoquera.

7. objet : personne aimée, dans le vocabulaire amoureux.

8. cent morts : les souffrances.

9. la redoubler : redoubler sa colère.

ELVIRE

765 Chimène est au palais, de pleurs toute baignée,
Et n'en reviendra point que bien accompagnée.
Rodrigue, fuis, de grâce : ôte-moi de souci[1].
Que ne dira-t-on point si l'on te voit ici ?
Veux-tu qu'un médisant, pour comble à sa misère,
770 L'accuse d'y souffrir l'assassin de son père ?
Elle va revenir ; elle vient ; je la voi[2] :
Du moins, pour son honneur, Rodrigue, cache-toi.

Scène 2

DON SANCHE, CHIMÈNE, ELVIRE

DON SANCHE

Oui, Madame, il vous faut de sanglantes victimes :
Votre colère est juste, et vos pleurs légitimes,
775 Et je n'entreprends pas, à force de parler,
Ni de vous adoucir, ni de vous consoler.
Mais si de vous servir je puis être capable,
Employez mon épée à punir le coupable ;
Employez mon amour à venger cette mort :
780 Sous vos commandements mon bras sera trop[3] fort.

notes

1. ***ôte-moi de souci :*** délivre-moi de ce souci.
2. ***je la voi :*** orthographe autorisée en poésie.
3. ***trop :*** très.

CHIMÈNE
Malheureuse !

DON SANCHE
De grâce, acceptez mon service.

CHIMÈNE
J'offenserais le Roi, qui m'a promis justice.

DON SANCHE
Vous savez qu'elle[1] marche avec tant de langueur[2],
Qu'assez souvent le crime échappe à sa longueur ;
785 Son cours lent et douteux fait trop perdre de larmes.
Souffrez qu'un cavalier[3] vous venge par les armes :
La voie en est plus sûre, et plus prompte à punir.

CHIMÈNE
C'est le dernier remède ; et s'il y faut venir,
Et que de mes malheurs cette pitié vous dure[4],
790 Vous serez libre alors de venger mon injure[5].

DON SANCHE
C'est l'unique bonheur où[6] mon âme prétend ;
Et pouvant l'espérer, je m'en vais trop content[7].

notes

1. ***elle :*** la justice.

2. ***langueur :*** lenteur.

3. ***cavalier :*** gentilhomme, chevalier.

4. ***vers 789 (Et que de […] vous dure) :*** et si vous avez toujours pitié de mes malheurs.

5. ***mon injure :*** l'offense que l'on m'a faite.

6. ***où :*** auquel.

7. ***trop content :*** très heureux.

Scène 3

CHIMÈNE, ELVIRE

CHIMÈNE

Enfin, je me vois libre, et je puis sans contrainte
De mes vives douleurs te faire voir l'atteinte ;
795 Je puis donner passage à mes tristes soupirs ;
Je puis t'ouvrir mon âme et tous mes déplaisirs.
Mon père est mort, Elvire ; et la première épée
Dont s'est armé Rodrigue a sa trame coupée[1].
Pleurez, pleurez, mes yeux, et fondez-vous en eau !
800 La moitié de ma vie[2] a mis l'autre[3] au tombeau,
Et m'oblige à venger, après ce coup funeste,
Celle que je n'ai plus sur celle qui me reste.

ELVIRE

Reposez-vous[4], Madame.

CHIMÈNE

Ah ! que mal à propos
Dans un malheur si grand tu parles de repos !
805 Par où[5] sera jamais ma douleur apaisée,
Si je ne puis haïr la main qui l'a causée ?
Et que dois-je espérer qu'un[6] tourment éternel,
Si je poursuis un crime, aimant le criminel ?

ELVIRE

Il vous prive d'un père, et vous l'aimez encore !

notes

1. a sa trame coupée : a mis fin à ses jours. Image traditionnelle qui compare la vie à la trame d'un tissu.

2. la moitié de ma vie : Rodrigue.

3. l'autre : mon père.

4. reposez-vous : calmez-vous.

5. par où : comment.

6. qu'un : sinon un.

CHIMÈNE

810 C'est peu de dire aimer, Elvire : je l'adore ;
Ma passion s'oppose à mon ressentiment ;
Dedans[1] mon ennemi je trouve mon amant ;
Et je sens qu'en dépit de toute ma colère,
Rodrigue dans mon cœur combat encor mon père :
815 Il l'attaque, il le presse, il cède, il se défend,
Tantôt fort, tantôt faible, et tantôt triomphant ;
Mais en ce dur combat de colère et de flamme[2],
Il déchire mon cœur, sans partager mon âme[3] ;
Et quoi que mon amour ait sur moi de pouvoir[4],
820 Je ne consulte point[5] pour suivre mon devoir :
Je cours sans balancer[6] où mon honneur m'oblige[7].
Rodrigue m'est bien cher, son intérêt[8] m'afflige,
Mon cœur prend son parti ; mais malgré son effort,
Je sais ce que je suis, et que mon père est mort.

ELVIRE

825 Pensez-vous le poursuivre[9] ?

CHIMÈNE

Ah ! cruelle pensée !
Et cruelle poursuite où je me vois forcée !
Je demande sa tête, et crains de l'obtenir :
Ma mort suivra la sienne, et je le veux punir !

notes

1. *dedans* : dans

2. *vers 817 (Mais en ce dur* [...] *flamme)* : dans la lutte entre la colère et l'amour.

3. *sans partager mon âme* : sans affaiblir ma volonté.

4. *vers 819 (Et quoi que* [...] *pouvoir)* : quel que soit le pouvoir de mon amour.

5. *je ne consulte point* : je n'hésite pas.

6. *balancer* : hésiter.

7. *m'oblige* : m'engage.

8. *son intérêt* : la passion que j'ai pour lui.

9. *le poursuivre* : vous venger.

ELVIRE
Quittez, quittez, Madame, un dessein[1] si tragique ;
830 Ne vous imposez point de loi si tyrannique.

CHIMÈNE
Quoi ! mon père étant mort, et presque entre mes bras,
Son sang criera vengeance, et je ne l'orrai[2] pas !
Mon cœur, honteusement surpris par d'autres charmes,
Croira ne lui devoir que d'impuissantes larmes !
835 Et je pourrai souffrir qu'un amour suborneur[3]
Sous un lâche silence étouffe mon honneur !

ELVIRE
Madame, croyez-moi, vous serez excusable
D'avoir moins de chaleur[4] contre un objet[5] aimable,
Contre un amant si cher : vous avez assez fait,
840 Vous avez vu le Roi ; n'en pressez point l'effet,
Ne vous obstinez point en cette humeur étrange[6].

CHIMÈNE
Il y va de ma gloire, il faut que je me venge ;
Et de quoi que nous flatte un désir amoureux,
Toute excuse est honteuse aux esprits généreux[7].

ELVIRE
845 Mais vous aimez Rodrigue, il ne vous peut déplaire.

CHIMÈNE
Je l'avoue.

notes

1. dessein : projet.
2. l'orrai : l'entendrai (futur du verbe *ouïr*).
3. suborneur : qui détourne du droit chemin.
4. chaleur : rancune.
5. objet : personne aimée.
6. étrange : excessive.
7. généreux : nobles, ayant le sens de l'honneur.

ELVIRE

Après tout[1], que pensez-vous donc faire ?

CHIMÈNE

Pour conserver ma gloire et finir mon ennui[2],
Le poursuivre, le perdre[3], et mourir après lui.

Scène 4

DON RODRIGUE, CHIMÈNE, ELVIRE

DON RODRIGUE

Eh bien ! sans vous donner la peine de poursuivre,
850 Assurez-vous l'honneur de m'empêcher de vivre.

CHIMÈNE

Elvire, où sommes-nous, et qu'est-ce que je voi[4] ?
Rodrigue en ma maison ! Rodrigue devant moi !

DON RODRIGUE

N'épargnez-point mon sang : goûtez sans résistance
La douceur de ma perte et de votre vengeance.

CHIMÈNE

855 Hélas !

Don Rodrigue

Écoute-moi.

notes

1. après tout : en fin de compte.

2. finir mon ennui : mettre fin à mon désespoir.

3. le perdre : causer sa perte.

4. je voi : je vois. Orthographe admise en poésie.

CHIMÈNE

Je me meurs.

DON RODRIGUE

Un moment.

CHIMÈNE

Va, laisse-moi mourir.

DON RODRIGUE

Quatre mots seulement :
Après ne me réponds qu'avecque[1] cette épée.

CHIMÈNE

Quoi ! du sang de mon père encor toute trempée !

DON RODRIGUE

Ma Chimène...

CHIMÈNE

Ôte-moi cet objet odieux,
860 Qui reproche ton crime et ta vie à mes yeux.

DON RODRIGUE

Regarde-le plutôt pour exciter ta haine,
Pour croître[2] ta colère, et pour hâter ma peine[3].

CHIMÈNE

Il est teint de mon sang.

DON RODRIGUE

Plonge-le dans le mien,
Et fais-lui perdre ainsi la teinture du tien.

notes

1. ***avecque :*** orthographe ancienne de *avec*.

2. ***croître :*** augmenter.

3. ***ma peine :*** mon châtiment.

CHIMENE.
Quoi! du sang de mon pere encor toute trempée!
Le Cid. Acte III. Sc. 4.

CHIMÈNE

865 Ah ! quelle cruauté, qui tout en un jour[1] tue
Le père par le fer, la fille par la vue !
Ôte-moi cet objet, je ne le puis souffrir :
Tu veux que je t'écoute, et tu me fais mourir !

DON RODRIGUE

Je fais ce que tu veux, mais sans quitter l'envie
870 De finir par tes mains ma déplorable vie ;
Car enfin n'attends pas de mon affection
Un lâche repentir d'une bonne action.
L'irréparable effet d'une chaleur trop prompte[2]
Déshonorait mon père, et me couvrait de honte.
875 Tu sais comme un soufflet touche un homme de cœur ;
J'avais part à l'affront, j'en ai cherché l'auteur :
Je l'ai vu, j'ai vengé mon honneur et mon père ;
Je le ferais encor, si j'avais à le faire.
Ce n'est pas qu'en effet[3] contre mon père et moi
880 Ma flamme[4] assez longtemps n'ait combattu pour toi ;
Juge de son pouvoir : dans une telle offense,
J'ai pu délibérer[5] si j'en prendrais vengeance.
Réduit à te déplaire, ou souffrir un affront,
J'ai pensé qu'à son tour mon bras était trop prompt ;
885 Je me suis accusé de trop de violence ;
Et ta beauté sans doute emportait la balance[6],
À moins que d'opposer à tes plus forts appas[7]
Qu'un homme sans honneur ne te méritait pas ;

notes

1. tout en un jour : en un seul jour.

2. une chaleur trop prompte : la colère du Comte.

3. en effet : en réalité.

4. ma flamme : mon amour.

5. délibérer : réfléchir et hésiter.

6. vers 886 (Et ta beauté [...] la balance) : ta beauté l'aurait sûrement emporté.

7. appas : charmes.

Que malgré cette part que j'avais en ton âme[1],
890 Qui m'aima généreux[2] me haïrait infâme[3] ;
Qu'écouter ton amour, obéir à sa voix,
C'était m'en rendre indigne et diffamer[4] ton choix.
Je te le dis encore ; et quoique j'en soupire,
Jusqu'au dernier soupir je veux bien[5] le redire :
895 Je t'ai fait une offense, et j'ai dû m'y porter[6]
Pour effacer ma honte, et pour te mériter ;
Mais quitte[7] envers l'honneur, et quitte envers mon père,
C'est maintenant à toi que je viens satisfaire[8].
C'est pour t'offrir mon sang qu'en ce lieu tu me vois.
900 J'ai fait ce que j'ai dû, je fais ce que je dois.
Je sais qu'un père mort t'arme contre mon crime ;
Je ne t'ai pas voulu dérober ta victime :
Immole[9] avec courage au sang qu'il a perdu
Celui qui met sa gloire à l'avoir répandu.

CHIMÈNE

905 Ah ! Rodrigue, il est vrai, quoique ton ennemie,
Je ne puis te blâmer d'avoir fui l'infamie ;
Et de quelque façon qu'éclatent mes douleurs,
Je ne t'accuse point, je pleure mes malheurs.
Je sais ce que l'honneur, après un tel outrage,
910 Demandait à l'ardeur d'un généreux courage :
Tu n'as fait le devoir que d'un homme de bien[10] ;
Mais aussi, le faisant, tu m'as appris le mien.

notes

1. vers 889 (Que malgré [...] ton âme) : malgré ton amour pour moi.

2. généreux : noble et courageux.

3. infâme : déshonoré par lâcheté.

4. diffamer : dévaloriser.

5. bien : avec insistance.

6. m'y porter : m'y résoudre.

7. quitte : délivré du devoir.

8. satisfaire : offrir la vengeance.

9. immole : sacrifie.

10. un homme de bien : un homme d'honneur.

Ta funeste valeur m'instruit par ta victoire ;
Elle a vengé ton père et soutenu ta gloire :
915 Même soin me regarde[1], et j'ai, pour m'affliger,
Ma gloire à soutenir et mon père à venger.
Hélas ! ton intérêt[2] ici me désespère :
Si quelque autre malheur m'avait ravi mon père,
Mon âme aurait trouvé dans le bien[3] de te voir
920 L'unique allégement[4] qu'elle eût pu recevoir ;
Et contre ma douleur j'aurais senti des charmes,
Quand une main si chère eût essuyé mes larmes.
Mais il me faut te perdre après l'avoir perdu ;
Cet effort sur ma flamme à mon honneur est dû ;
925 Et cet affreux devoir, dont l'ordre m'assassine,
Me force à travailler moi-même à ta ruine.
Car enfin n'attends pas de mon affection
De lâches sentiments pour ta punition[5].
De quoi qu'en ta faveur notre amour m'entretienne[6],
930 Ma générosité[7] doit répondre à la tienne :
Tu t'es, en m'offensant, montré digne de moi ;
Je me dois, par ta mort, montrer digne de toi.

DON RODRIGUE
Ne diffère[8] donc plus ce que l'honneur t'ordonne :
Il demande ma tête, et je te l'abandonne ;
935 Fais-en un sacrifice à ce noble intérêt[9].
Le coup m'en sera doux, aussi bien que l'arrêt[10].

notes

1. même soin me regarde : j'ai la même obligation.

2. ton intérêt : l'amour que j'ai pour toi.

3. le bien : le bonheur.

4. allégement : consolation.

5. vers 927-928 (Car enfin […] ta punition) : reprise des vers 871-872.

6. vers 929 (De quoi […] m'entretienne) : bien que notre amour plaide pour toi.

7. générosité : grandeur d'âme, courage.

8. diffère : retarde.

9. ce noble intérêt : l'honneur.

10. l'arrêt : le verdict.

Attendre après mon crime une lente justice,
C'est reculer ta gloire autant que mon supplice.
Je mourrai trop heureux, mourant d'un coup si beau.

CHIMÈNE

940 Va, je suis ta partie[1], et non pas ton bourreau.
Si tu m'offres ta tête, est-ce à moi de la prendre ?
Je la dois attaquer, mais tu dois la défendre ;
C'est d'un autre que toi qu'il me faut l'obtenir,
Et je dois te poursuivre, et non pas te punir.

DON RODRIGUE

945 De quoi qu'en ma faveur notre amour t'entretienne,
Ta générosité doit répondre à la mienne[2] ;
Et pour venger un père emprunter d'autres bras,
Ma Chimène, crois-moi, c'est n'y répondre pas,
Ma main seule du mien[3] a su venger l'offense,
950 Ta main seule du tien doit prendre la vengeance.

CHIMÈNE

Cruel ! à quel propos sur ce point t'obstiner ?
Tu t'es vengé sans aide, et tu m'en veux donner[4] !
Je suivrai ton exemple[5], et j'ai trop de courage
Pour souffrir qu'avec toi ma gloire se partage.
955 Mon père et mon honneur ne veulent rien devoir
Aux traits de ton amour ni de ton désespoir.

DON RODRIGUE

Rigoureux point d'honneur ! hélas ! quoi que je fasse,
Ne pourrai-je à la fin obtenir cette grâce ?

notes

1. je suis ta partie : ton adversaire en justice.

2. vers 945-946 (De quoi* [...] *t'entretienne) : reprise, presque à l'identique, des vers 929-930.

3. du mien : de mon père.

4. et tu m'en veux donner : de l'aide. Chimène parle de l'insistance de Rodrigue à s'offrir en sacrifice.

5. je suivrai ton exemple : Chimène prétend vouloir se venger par ses propres moyens.

Au nom d'un père mort, ou de notre amitié[1],
960 Punis-moi par vengeance, ou du moins par pitié.
Ton malheureux amant aura bien moins de peine
À mourir par ta main qu'à vivre avec ta haine.

CHIMÈNE
Va, je ne te hais point.

DON RODRIGUE
Tu le dois.

CHIMÈNE
Je ne puis.

DON RODRIGUE
Crains-tu si peu le blâme, et si peu les faux bruits[2] ?
965 Quand on saura mon crime, et que ta flamme dure,
Que ne publieront point l'envie et l'imposture[3] !
Force-les au silence, et, sans plus discourir[4],
Sauve ta renommée en me faisant mourir.

CHIMÈNE
Elle éclate bien mieux en te laissant la vie ;
970 Et je veux que la voix de la plus noire envie
Élève au ciel ma gloire et plaigne mes ennuis,
Sachant que je t'adore et que je te poursuis.
Va-t'en, ne montre plus à ma douleur extrême
Ce qu'il faut que je perde[5], encore que je l'aime.
975 Dans l'ombre de la nuit cache bien ton départ :
Si l'on te voit sortir, mon honneur court hasard[6].

notes

1. amitié : amour.

2. les faux bruits : les rumeurs.

3. vers 966 (Que ne […] l'imposture) : que ne déclareront pas les envieux et les calomniateurs !

4. discourir : raisonner.

5. ce qu'il faut que je perde : Rodrigue lui-même.

6. court hasard : est en danger.

La seule occasion[1] qu'aura la médisance,
C'est de savoir qu'ici j'ai souffert ta présence :
Ne lui donne point lieu[2] d'attaquer ma vertu.

DON RODRIGUE
980 Que je meure !

CHIMÈNE
Va-t'en.

DON RODRIGUE
À quoi te résous-tu[3] ?

CHIMÈNE
Malgré des feux si beaux[4], qui troublent ma colère,
Je ferai mon possible à bien venger[5] mon père ;
Mais malgré la rigueur d'un si cruel devoir,
Mon unique souhait est de ne rien pouvoir.

DON RODRIGUE
985 Ô miracle d'amour !

CHIMÈNE
Ô comble de misères !

DON RODRIGUE
Que de maux et de pleurs nous coûteront nos pères !

CHIMÈNE
Rodrigue, qui l'eût cru ?

DON RODRIGUE
Chimène, qui l'eût dit ?

notes

1. la seule occasion : le seul motif.

2. lieu : de raison.

3. à quoi te résous-tu ? : que décides-tu ?

4. des feux si beaux : une aussi grande passion.

5. à bien venger : pour bien venger.

CHIMÈNE
Que notre heur[1] fût si proche et sitôt se perdît ?

DON RODRIGUE
Et que si près du port, contre toute apparence[2],
990 Un orage si prompt brisât notre espérance ?

CHIMÈNE
Ah ! mortelles douleurs !

DON RODRIGUE
Ah ! regrets superflus !

CHIMÈNE
Va-t'en, encore un coup[3] je ne t'écoute plus.

DON RODRIGUE
Adieu : je vais traîner une mourante vie,
Tant que[4] par ta poursuite elle me soit ravie.

CHIMÈNE
995 Si j'en obtiens l'effet, je t'engage ma foi[5]
De ne respirer pas un moment après toi.
Adieu : sors, et surtout garde bien qu'on te voie[6].

ELVIRE
Madame, quelques maux[7] que le ciel nous envoie...

CHIMÈNE
Ne m'importune plus, laisse-moi soupirer,
1000 Je cherche le silence et la nuit pour pleurer.

notes

1. notre heur : notre bonheur.

2. contre toute apparence : de manière imprévisible.

3. encore un coup : encore une fois.

4. tant que : jusqu'à ce que.

5. je t'engage ma foi : je te promets.

6. garde bien qu'on te voie : prends bien garde qu'on ne te voie.

7. maux : pluriel de *mal*, malheurs.

Rodrigue (Gérard Philipe)
et Chimène (Françoise Spire)
dans une mise en scène de Jean Vilar.

Au fil du texte

Questions sur l'acte III, scène 4 (pages 83 à 92)

QUE S'EST-IL PASSÉ ENTRE-TEMPS ?

1. Que fait Rodrigue au début de l'acte III ?

2. Qu'avons-nous appris dans les scènes 2 et 3 ?

AVEZ-VOUS BIEN LU ?

narration : fait de raconter, à l'aide d'un récit, une suite de faits, un événement.

tirade : au théâtre, longue suite de vers ou de phrases récitée par un personnage.

argument : raison que l'on donne pour convaincre.

3. Pourquoi Rodrigue se présente-t-il devant Chimène ?

4. Comment Chimène compte-t-elle obtenir vengeance ?

5. Quels sont les sentiments des deux personnages à la fin de la scène ?

ÉTUDIER LA PLACE DE LA SCÈNE DANS LA PIÈCE

6. Avons-nous déjà vu Rodrigue et Chimène ensemble sur scène ?

7. Comparez la longueur de cette scène (152 vers) aux autres scènes de la pièce. Que constatez-vous ?

ÉTUDIER LE DISCOURS

8. Combien de parties distinguez-vous dans cette scène ?

9. Repérez le passage de narration* dans la tirade* de Rodrigue (vers 869-904).

10. Faites la liste des arguments* échangés dans les vers 933-984.

Étudier un thème : la générosité

11. Cherchez l'étymologie* des termes *« généreux »* (v. 910) et *« générosité »* (v. 930) et leur sens au XVIIe siècle.

12. Relevez dans la scène tous les termes qui ont un rapport avec la notion de *« générosité »*.

13. Pourquoi la vengeance est-elle pour Chimène le seul moyen de se montrer digne de Rodrigue ?

Étudier un thème : l'amour impossible

14. Rodrigue et Chimène sont-ils responsables de la situation ?

15. Quel est le passage du dialogue qui illustre le mieux le thème de l'amour impossible ?

étymologie : **origine d'un mot.**

litote : **figure de style consistant à dire le moins pour faire entendre le plus.**

Étudier l'écriture

16. Quels sont les vers que Chimène imite de Rodrigue, et vice versa ?

17. Que cherche à exprimer Chimène à l'aide de la litote* : *« Va, je ne te hais point. »* (v. 963) ?

18. Comment comprenez-vous l'image des vers 989-990 ?

Lire l'image

19. Photo page 93 : à quel moment de la scène sommes-nous ?

20. Décrivez le jeu des regards.

21. Quelle atmosphère se dégage de cette photo ?

Scène 5 DON DIÈGUE

DON DIÈGUE

Jamais nous ne goûtons de parfaite allégresse :
Nos plus heureux succès sont mêlés de tristesse ;
Toujours quelques soucis en ces événements
Troublent la pureté de nos contentements.
1005 Au milieu du bonheur mon âme en sent l'atteinte :
Je nage dans la joie, et je tremble de crainte.
J'ai vu mort l'ennemi qui m'avait outragé,
Et je ne saurais voir[1] la main qui m'a vengé.
En vain je m'y travaille[2], et d'un soin[3] inutile,
1010 Tout cassé[4] que je suis, je cours toute la ville :
Ce peu que mes vieux ans m'ont laissé de vigueur
Se consume sans fruit[5] à chercher ce vainqueur.
À toute heure, en tous lieux, dans une nuit si sombre,
Je pense l'embrasser[6], et n'embrasse qu'une ombre ;
1015 Et mon amour, déçu[7] par cet objet trompeur,
Se forme des soupçons[8] qui redoublent ma peur.
Je ne découvre point de marques de sa fuite ;
Je crains du Comte mort les amis et la suite ;
Leur nombre m'épouvante, et confond[9] ma raison.
1020 Rodrigue ne vit plus, ou respire en prison.
Justes cieux ! me trompé-je encore à l'apparence,
Ou si[10] je vois enfin mon unique espérance ?
C'est lui, n'en doutons plus ; mes vœux sont exaucés,
Ma crainte est dissipée et mes ennuis cessés[11].

notes

1. ***je ne saurais voir :*** je ne réussis pas à voir.
2. ***en vain je m'y travaille :*** je m'y efforce inutilement.
3. ***soin :*** peine.
4. ***cassé :*** épuisé.
5. ***sans fruit :*** vainement.
6. ***l'embrasser :*** le prendre dans mes bras.
7. ***déçu :*** trompé.
8. ***soupçons :*** craintes.
9. ***confond :*** trouble, bouleverse.
10. ***ou si :*** ou est-ce que.
11. ***cessés :*** terminés.

Scène 6

DON DIÈGUE, DON RODRIGUE

DON DIÈGUE

1025 Rodrigue, enfin le ciel permet que je te voie !

DON RODRIGUE

Hélas !

DON DIÈGUE

Ne mêle point de soupirs à ma joie ;
Laisse-moi prendre haleine afin de te louer[1].
Ma valeur n'a point lieu de te désavouer[2] :
Tu l'as bien imitée[3], et ton illustre audace
1030 Fait bien revivre en toi les héros de ma race :
C'est d'eux que tu descends, c'est de moi que tu viens :
Ton premier coup d'épée égale tous les miens ;
Et d'une belle ardeur ta jeunesse animée
Par cette grande épreuve atteint[4] ma renommée.
1035 Appui de ma vieillesse, et comble de mon heur[5],
Touche ces cheveux blancs à qui tu rends l'honneur,
Viens baiser cette joue, et reconnais la place
Où fut empreint l'affront[6] que ton courage efface.

DON RODRIGUE

L'honneur vous en est dû : je ne pouvais pas moins,
1040 Étant sorti[7] de vous et nourri[8] par vos soins.
Je m'en tiens trop heureux, et mon âme est ravie

notes

1. de te louer : de chanter tes louanges, de te glorifier.

2. désavouer : renier.

3. tu l'as bien imitée : ma valeur.

4. atteint : égale.

5. heur : bonheur.

6. la place où fut empreint l'affront : la joue sur laquelle don Diègue avait reçu le soufflet.

7. sorti : né.

8. nourri : élevé.

Que mon coup d'essai plaise à qui je dois la vie ;
Mais parmi vos plaisirs ne soyez point jaloux
Si je m'ose à mon tour satisfaire après vous[1].
1045 Souffrez qu'en liberté mon désespoir éclate ;
Assez et trop longtemps votre discours le flatte[2].
Je ne me repens point de vous avoir servi ;
Mais rendez-moi le bien[3] que ce coup m'a ravi.
Mon bras, pour vous venger, armé contre ma flamme,
1050 Par ce coup glorieux m'a privé de mon âme[4] ;
Ne me dites plus rien ; pour vous j'ai tout perdu :
Ce que je vous devais, je vous l'ai bien rendu.

DON DIÈGUE
Porte, porte plus haut le fruit de ta victoire[5] :
Je t'ai donné la vie, et tu me rends ma gloire ;
1055 Et d'autant que l'honneur m'est plus cher que le jour,
D'autant plus maintenant je te dois de retour.
Mais d'un cœur magnanime[6] éloigne ces faiblesses ;
Nous n'avons qu'un honneur, il est tant de maîtresses !
L'amour n'est qu'un plaisir, l'honneur est un devoir.

DON RODRIGUE
1060 Ah ! que me dites-vous ?

DON DIÈGUE
Ce que tu dois savoir.

notes

1. vers 1044 (Si je m'ose* [...] *vous) : si j'ose me satisfaire après vous avoir rendu service.

2. votre discours le flatte : vos propos trompent mon désespoir.

3. le bien : l'amour de Chimène.

4. mon âme : dans le vocabulaire amoureux, personne aimée.

5. vers 1053 (Porte* [...] *victoire) : montre-toi plus fier de ta victoire.

6. magnanime : héroïque, généreux.

DON RODRIGUE
Mon honneur offensé sur moi-même se venge[1],
Et vous m'osez pousser à la honte du change[2] !
L'infamie est pareille, et suit également[3]
Le guerrier sans courage et le perfide amant[4].
1065 À ma fidélité ne faites point d'injure ;
Souffrez-moi généreux sans me rendre parjure[5] :
Mes liens sont trop forts pour être ainsi rompus ;
Ma foi[6] m'engage encor si je n'espère plus ;
Et ne pouvant quitter ni posséder Chimène,
1070 Le trépas que je cherche est ma plus douce peine.

DON DIÈGUE
Il n'est pas temps encor de chercher le trépas ;
Ton prince et ton pays ont besoin de ton bras.
La flotte qu'on craignait, dans ce grand fleuve[7] entrée,
Croit surprendre la ville et piller la contrée.
1075 Les Mores vont descendre, et le flux et la nuit
Dans une heure à nos murs les amène[8] sans bruit.
La cour est en désordre, et le peuple en alarmes :
On n'entend que des cris, on ne voit que des larmes.
Dans ce malheur public mon bonheur a permis
1080 Que j'aie trouvé chez moi cinq cents de mes amis,
Qui sachant mon affront, poussés d'un même zèle,
Se venaient tous offrir à venger ma querelle.
Tu les a prévenus[9], mais leurs vaillantes mains

notes

1. vers 1061 (Mon honneur [...] se venge) : en tuant le père de sa bien-aimée, Rodrigue a fait son propre malheur.

2. change : infidélité.

3. également : de la même manière.

4. le perfide amant : l'amoureux infidèle.

5. parjure : traître à ma parole.

6. ma foi : ma promesse.

7. ce grand fleuve : le Guadalquivir.

8. les amène : L'accord se fait avec le dernier sujet seulement (*« la nuit »*).

9. prévenus : devancés.

Se tremperont bien mieux au sang des Africains[1].
1085 Va marcher à leur tête où l'honneur te demande :
C'est toi que veut pour chef leur généreuse bande[2].
De ces vieux ennemis va soutenir l'abord[3] :
Là, si tu veux mourir, trouve une belle mort ;
Prends-en l'occasion, puisqu'elle t'est offerte ;
1090 Fais devoir à ton roi[4] son salut à ta perte ;
Mais reviens-en plutôt les palmes sur le front.
Ne borne pas ta gloire à venger un affront ;
Porte-la plus avant : force par ta vaillance
Ce monarque au pardon, et Chimène au silence ;
1095 Si tu l'aimes, apprends que revenir vainqueur,
C'est l'unique moyen de regagner son cœur.
Mais le temps est trop cher pour le perdre en paroles :
Je t'arrête en discours[5] et je veux que tu voles.
Viens, suis-moi, va combattre, et montrer à ton roi
1100 Que ce qu'il perd au Comte[6] il le recouvre en toi.

notes

1. ***Africains :*** les Mores ou Maures venaient d'Afrique du Nord.

2. ***bande :*** troupe.

3. ***l'abord :*** l'attaque.

4. ***fais devoir à ton roi :*** fais que ton roi doive.

5. ***en discours :*** par mes discours.

6. ***au Comte :*** dans le Comte.

Au fil du texte

Questions sur l'acte III, scène 6 (pages 97 à 100)

QUE S'EST-IL PASSÉ ENTRE-TEMPS ?

1. Que faisait don Diègue dans la scène 5 ?

2. Où se trouvait Rodrigue avant la rencontre avec son père ?

AVEZ-VOUS BIEN LU ?

3. Quels sont les sentiments de don Diègue au début de la scène ?

4. Rodrigue partage-t-il l'enthousiasme de son père ?

5. Don Diègue comprend-il la douleur de son fils ?

6. Quel nouvel exploit don Diègue propose-t-il à Rodrigue ?

action : **ensemble des événements formant le commencement, le développement et le dénouement d'une pièce de théâtre.**

ÉTUDIER LA PLACE DE LA SCÈNE DANS LA PIÈCE

7. Comparez cette scène avec la scène 5 de l'acte I et montrez que les deux scènes ont pour fonction d'engager ou de poursuivre l'action*.

ÉTUDIER LES THÈMES DE L'HONNEUR ET DE L'AMOUR

8. Pourquoi peut-on dire que Don Diègue et Rodrigue partagent la même conception de l'honneur (v. 1028-1052) ?

9. Les deux personnages ont-ils la même conception de l'amour (v. 1053-1070) ?

10. Quelle solution don Diègue propose-t-il à Rodrigue (v. 1058) ?

11. Montrez que, pour Rodrigue, l'amour est aussi une affaire d'honneur (v. 1061-1070).

ÉTUDIER LE DISCOURS

12. Combien de parties distinguez-vous dans la tirade* de don Diègue (v. 1071-1100) ?

13. Isolez, dans cette tirade, le passage de narration*.

14. Quels arguments* don Diègue avance-t-il pour convaincre son fils de se battre contre les Maures ?

15. Pourquoi Rodrigue ne réplique-t-il pas à la fin de cette scène ?

ÉTUDIER LE VOCABULAIRE ET LA GRAMMAIRE

16. Relevez les expressions soulignant le thème de la descendance (v. 1028-1038).

17. Relevez les deux champs lexicaux* opposés de l'honneur et de la honte dans le discours de Rodrigue (v. 1061-1070).

18. Relevez les tournures impératives dans la tirade de don Diègue (v. 1085-1100). Que traduisent-elles ?

19. Que signifie le verbe *« recouvrer »* (v. 1100) ? Employez ce terme dans deux phrases de votre composition.

À VOS PLUMES !

20. Après avoir cherché le sens des termes *« infamie »*, *« perfide »* et *« parjure »*, employez-les dans trois phrases de votre composition.

tirade : **au théâtre, longue suite de vers ou de phrases récitée par un personnage.**

narration : **fait de raconter, à l'aide d'un récit, une suite de faits, un événement.**

argument : **raison que l'on donne pour convaincre.**

champ lexical : **ensemble des mots se rapportant à un même thème.**

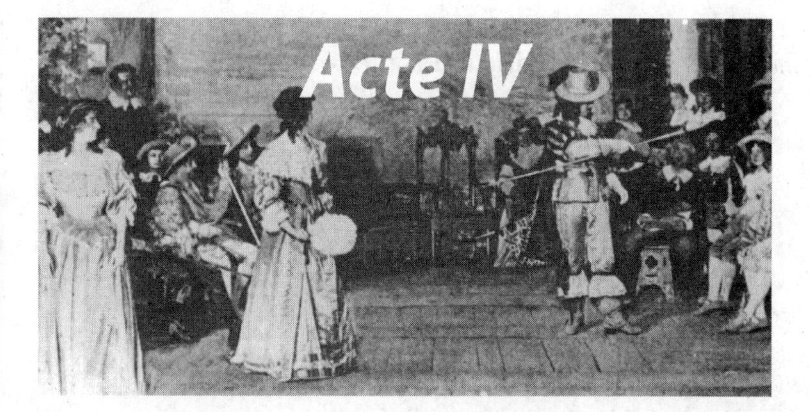

Scène 1

CHIMÈNE, ELVIRE

CHIMÈNE
N'est-ce point un faux bruit[1] ? le sais-tu bien, Elvire ?

ELVIRE
Vous ne croiriez jamais comme chacun l'admire,
Et porte jusqu'au ciel, d'une commune voix,
De ce jeune héros les glorieux exploits.
1105 Les Mores devant lui n'ont paru qu'à leur honte ;
Leur abord[2] fut bien prompt[3], leur fuite encor plus prompte.
Trois heures de combat laissent à nos guerriers
Une victoire entière et deux rois prisonniers.
La valeur de leur chef[4] ne trouvait point d'obstacles.

notes

1. un faux bruit : une fausse rumeur.

2. abord : attaque.

3. prompt : rapide.

4. leur chef : le chef de nos guerriers, c'est-à-dire Rodrigue.

CHIMÈNE

1110 Et la main de Rodrigue a fait tous ces miracles ?

ELVIRE

De ses nobles efforts ces deux rois sont le prix :
Sa main les a vaincus, et sa main les a pris.

CHIMÈNE

De qui peux-tu savoir ces nouvelles étranges[1] ?

ELVIRE

Du peuple, qui partout fait sonner ses louanges,
1115 Le nomme de sa joie et l'objet et l'auteur,
Son ange tutélaire[2], et son libérateur.

CHIMÈNE

Et le Roi, de quel œil voit-il tant de vaillance ?

ELVIRE

Rodrigue n'ose encor paraître en sa présence ;
Mais don Diègue ravi[3] lui présente enchaînés,
1120 Au nom de ce vainqueur, ces captifs couronnés[4],
Et demande pour grâce à ce généreux prince
Qu'il daigne voir la main qui sauve la province.

CHIMÈNE

Mais n'est-il point blessé ?

ELVIRE

Je n'en ai rien appris.
Vous changez de couleur ! reprenez vos esprits.

notes

1. ***étranges :*** extraordinaires.
2. ***tutélaire :*** protecteur.
3. ***ravi :*** transporté de joie.
4. ***ces captifs couronnés :*** les rois maures prisonniers.

CHIMÈNE

1125 Reprenons donc aussi ma colère affaiblie :
Pour avoir soin de lui faut-il que je m'oublie ?
On le vante, on le loue, et mon cœur y consent !
Mon honneur est muet, mon devoir impuissant !
Silence, mon amour, laisse agir ma colère :
1130 S'il a vaincu deux rois, il a tué mon père ;
Ces tristes vêtements où je lis mon malheur
Sont les premiers effets qu'ait produits sa valeur,
Et quoi qu'on die[1] ailleurs d'un cœur si magnanime,
Ici tous les objets me parlent de son crime.
1135 Vous qui rendez la force à mes ressentiments,
Voiles, crêpes[2], habits, lugubres ornements,
Pompe[3] que me prescrit sa première victoire,
Contre ma passion soutenez bien ma gloire ;
Et lorsque mon amour prendra trop de pouvoir,
1140 Parlez à mon esprit de mon triste devoir,
Attaquez sans rien craindre une main triomphante.

ELVIRE

Modérez ces transports, voici venir l'Infante.

notes

1. *die* : dise. Forme ancienne du subjonctif.

2. *crêpes* : tissus légers. Le crêpe noir est symbole de deuil.

3. *pompe* : décor funèbre.

Scène 2

L'INFANTE, CHIMÈNE, LÉONOR, ELVIRE

L'INFANTE

Je ne viens pas ici consoler tes douleurs ;
Je viens plutôt mêler mes soupirs à tes pleurs.

CHIMÈNE

1145 Prenez bien plutôt part à la commune joie,
Et goûtez le bonheur que le ciel vous envoie,
Madame : autre[1] que moi n'a droit de soupirer.
Le péril dont Rodrigue a su nous retirer
Et le salut public que vous rendent ses armes
1150 À moi seule aujourd'hui souffrent[2] encor les larmes :
Il a sauvé la ville, il a servi son roi ;
Et son bras valeureux n'est funeste qu'à moi[3].

L'INFANTE

Ma Chimène, il est vrai qu'il a fait des merveilles.

CHIMÈNE

Déjà ce bruit fâcheux a frappé mes oreilles ;
1155 Et je l'entends partout publier hautement[4]
Aussi brave guerrier que malheureux amant.

L'INFANTE

Qu'a de fâcheux pour toi ce discours populaire[5] ?
Ce jeune Mars[6] qu'il loue a su jadis te plaire :
Il possédait ton âme, il vivait sous tes lois ;
1160 Et vanter sa valeur, c'est honorer ton choix.

notes

1. *autre* : aucune autre.

2. *souffrent* : autorisent.

3. *n'est funeste qu'à moi* : n'est cause de malheur que pour moi.

4. *vers 1155 (Et je l'entends [...] hautement)* : et j'entends que tous le proclament.

5. *discours populaire* : opinion du peuple.

6. *Mars* : dieu de la guerre.

CHIMÈNE

Chacun peut la[1] vanter avec quelque justice[2] ;
Mais pour moi sa louange est un nouveau supplice.
On aigrit[3] ma douleur en l'élevant si haut[4] :
Je vois ce que je perds quand je vois ce qu'il vaut.
1165 Ah ! cruels déplaisirs à l'esprit d'une amante !
Plus j'apprends son mérite, et plus mon feu s'augmente[5] :
Cependant mon devoir est toujours le plus fort,
Et malgré mon amour va poursuivre[6] sa mort.

L'INFANTE

Hier ce devoir te mit en une haute estime ;
1170 L'effort que tu te fis parut si magnanime,
Si digne d'un grand cœur, que chacun à la cour
Admirait ton courage et plaignait ton amour.
Mais croirais-tu l'avis d'une amitié fidèle ?

CHIMÈNE

Ne vous obéir pas me rendrait criminelle.

L'INFANTE

1175 Ce qui fut juste alors ne l'est plus aujourd'hui.
Rodrigue maintenant est notre unique appui,
L'espérance et l'amour d'un peuple qui l'adore,
Le soutien de Castille, et la terreur du More.
Le Roi même est d'accord de[7] cette vérité,
1180 Que ton père en lui seul se voit ressuscité ;
Et si tu veux enfin qu'en deux mots je m'explique,

notes

1. la : sa valeur.

2. avec quelque justice : à juste titre.

3. aigrit : aggrave.

4. en l'élevant si haut : en glorifiant Rodrigue.

5. mon feu s'augmente : mon amour grandit.

6. poursuivre : chercher à obtenir.

7. est d'accord de : admet.

Tu poursuis en sa mort la ruine publique[1].
Quoi ! pour venger un père est-il jamais permis
De livrer sa patrie aux mains des ennemis ?
1185 Contre nous ta poursuite est-elle légitime,
Et pour être punis avons-nous part au crime ?
Ce n'est pas qu'après tout tu doives épouser
Celui qu'un père mort t'obligeait d'accuser :
Je te voudrais moi-même en arracher l'envie ;
1190 Ôte-lui ton amour, mais laisse-nous sa vie.

CHIMÈNE
Ah ! ce n'est pas à moi d'avoir tant de bonté ;
Le devoir qui m'aigrit n'a rien de limité[2].
Quoique pour ce vainqueur mon amour s'intéresse,
Quoiqu'un peuple l'adore et qu'un roi le caresse[3],
1195 Qu'il soit environné des plus vaillants guerriers,
J'irai sous mes cyprès accabler ses lauriers[4].

L'INFANTE
C'est générosité quand pour venger un père
Notre devoir attaque une tête si chère ;
Mais c'en est une encor d'un plus illustre rang[5],
1200 Quand on donne au public les intérêts du sang[6].
Non, crois-moi, c'est assez que d'éteindre ta flamme ;
Il sera trop puni s'il n'est plus dans ton âme.
Que le bien du pays t'impose cette loi :
Aussi bien, que crois-tu que t'accorde le Roi ?

notes

1. la ruine publique : la mort de Rodrigue serait une catastrophe pour l'État.

2. vers 1192 (Le devoir* [...] *limité) : le devoir qui m'oblige à la violence n'admet pas de compromis.

3. caresse : favorise.

4. vers 1196 (J'irai* [...] *lauriers) : je maudirai sa gloire en pleurant la mort de mon père (les cyprès ornent les cimetières).

5. vers 1199 (Mais c'est* [...] *rang) : l'héroïsme est encore plus grand.

6. vers 1200 (Quand* [...] *sang) : quand on fait passer l'intérêt public avant celui de sa famille.

CHIMÈNE

1205 Il peut me refuser, mais je ne puis me taire.

L'INFANTE

Pense bien, ma Chimène, à ce que tu veux faire.
Adieu : tu pourras seule y penser à loisir.

CHIMÈNE

Après mon père mort[1], je n'ai point à choisir.

Scène 3

DON FERNAND, DON DIÈGUE, DON ARIAS, DON RODRIGUE, DON SANCHE

(Chez le roi.)

DON FERNAND

Généreux héritier d'une illustre famille,
1210 Qui fut toujours la gloire et l'appui de Castille,
Race[2] de tant d'aïeux en valeur signalés[3],
Que l'essai de la tienne[4] a sitôt[5] égalés,
Pour te récompenser ma force est trop petite ;
Et j'ai moins de pouvoir que tu n'as de mérite.
1215 Le pays délivré d'un si rude ennemi,
Mon sceptre dans ma main par la tienne affermi,

notes

1. après mon père mort : puisque mon père est mort.

2. race : descendant.

3. signalés : célèbres.

4. de la tienne : de ta valeur.

5. sitôt : aussi rapidement.

Le Cid (Samuel Labarthe) dans une mise en scène de Gérard Desarthe, le 16 janvier 1988.

Et les Mores défaits[1] avant qu'en ces alarmes
J'eusse pu donner ordre à[2] repousser leurs armes,
Ne sont point des exploits qui laissent à ton roi
1220 Le moyen ni l'espoir de s'acquitter vers toi[3].
Mais deux rois tes captifs feront ta récompense.
Ils t'ont nommé tous deux leur Cid[4] en ma présence :
Puisque Cid en leur langue est autant que seigneur,
Je ne t'envierai pas[5] ce beau titre d'honneur.
1225 Sois désormais le Cid : qu'à ce grand nom tout cède ;
Qu'il comble d'épouvante et Grenade et Tolède,
Et qu'il marque à tous ceux qui vivent sous mes lois
Et ce que tu me vaux, et ce que je te dois.

DON RODRIGUE

Que Votre Majesté, Sire, épargne ma honte ;
1230 D'un si faible service elle fait trop de conte[6],
Et me force à rougir devant un si grand roi
De mériter si peu l'honneur que j'en reçoi[7].
Je sais trop que je dois au bien de votre empire,
Et le sang qui m'anime, et l'air que je respire ;
1235 Et quand je les perdrai pour un si digne objet[8],
Je ferai seulement le devoir d'un sujet.

notes

1. défaits : vaincus.

2. ordre à : l'ordre de.

3. vers toi : envers toi.

4. Cid : mot arabe. Chef de tribu, seigneur.

5. je ne t'envierai pas : je ne te priverai pas de.

6. conte : compte.

7. reçoi : reçois ; orthographe admise au XVIIe siècle.

8. un si digne objet : l'État.

DON FERNAND

Tous ceux que ce devoir à mon service engage
Ne s'en acquittent pas avec même[1] courage ;
Et lorsque la valeur ne va point dans l'excès[2]
1240 Elle ne produit point de si rares succès.
Souffre donc qu'on te loue[3], et de cette victoire
Apprends-moi plus au long[4] la véritable histoire.

DON RODRIGUE

Sire, vous avez su qu'en ce danger pressant,
Qui jeta dans la ville un effroi si puissant,
1245 Une troupe d'amis chez mon père assemblée
Sollicita[5] mon âme encor toute troublée...
Mais, Sire, pardonnez à ma témérité,
Si j'osai l'employer sans votre autorité :
Le péril approchait ; leur brigade[6] était prête ;
1250 Me montrant à la cour, je hasardais[7] ma tête ;
Et s'il fallait la perdre, il m'était bien plus doux
De sortir de la vie en combattant pour vous.

DON FERNAND

J'excuse ta chaleur à venger ton offense ;
Et l'État défendu me parle en ta défense :
1255 Crois que dorénavant Chimène a beau parler,
Je ne l'écoute plus que pour la consoler.
Mais poursuis.

notes

1. même : le même.
2. ne va point dans l'excès : n'est pas exceptionnelle.
3. qu'on te loue : qu'on te glorifie.
4. plus au long : en détail.
5. sollicita : encouragea à agir.
6. brigade : troupe.
7. je hasardais : je risquais.

DON RODRIGUE

Sous moi[1] donc cette troupe s'avance,
Et porte sur le front[2] une mâle assurance.
Nous partîmes cinq cents ; mais par un prompt renfort
1260 Nous nous vîmes trois mille en arrivant au port,
Tant[3], à nous voir marcher avec un tel visage,
Les plus épouvantés reprenaient de courage !
J'en cache les deux tiers, aussitôt qu'arrivés,
Dans le fond des vaisseaux qui lors[4] furent trouvés ;
1265 Le reste, dont le nombre augmentait à toute heure,
Brûlant d'impatience autour de moi demeure,
Se couche contre terre, et sans faire aucun bruit,
Passe une bonne part d'une si belle nuit.
Par mon commandement la garde en fait de même,
1270 Et se tenant cachée, aide à mon stratagème ;
Et je feins hardiment[5] d'avoir reçu de vous
L'ordre qu'on me voit suivre et que je donne à tous.
Cette obscure clarté qui tombe des étoiles
Enfin avec le flux nous fait voir trente voiles[6] ;
1275 L'onde s'enfle dessous[7], et d'un commun effort
Les Mores et la mer montent jusques au port.
On les laisse passer ; tout leur paraît tranquille :
Point de soldats au port, point aux murs de la ville.
Notre profond silence abusant[8] leurs esprits,
1280 Ils n'osent plus douter[9] de nous avoir surpris ;

notes

1. *sous moi* : sous mes ordres.
2. *porte sur le front* : affiche, montre.
3. *tant* : au point que.
4. *lors* : alors.
5. *hardiment* : avec audace.
6. *vers 1274 (Enfin [...] trente voiles)* : la marée montante porte les trente navires vers le port.
7. *l'onde s'enfle dessous* : la mer se gonfle sous les vaisseaux.
8. *abusant* : trompant.
9. *ils n'osent plus douter* : ils sont certains.

Ils abordent sans peur, ils ancrent, ils descendent,
Et courent se livrer aux mains qui les attendent.
Nous nous levons alors, et tous en même temps
Poussons jusques au ciel mille cris éclatants.
1285 Les nôtres, à ces cris, de nos vaisseaux répondent ;
Ils paraissent[1] armés, les Mores se confondent[2],
L'épouvante les prend à demi descendus,
Avant que de combattre, ils s'estiment perdus.
Ils couraient au pillage, et rencontrent la guerre ;
1290 Nous les pressons[3] sur l'eau, nous les pressons sur terre,
Et nous faisons courir des ruisseaux de leur sang,
Avant qu'aucun résiste ou reprenne son rang.
Mais bientôt, malgré nous, leurs princes les rallient[4] ;
Leur courage renaît, et leurs terreurs s'oublient :
1295 La honte de mourir sans avoir combattu
Arrête leur désordre, et leur rend leur vertu[5].
Contre nous de pied ferme ils tirent leurs alfanges[6],
De notre sang au leur[7] font d'horribles mélanges ;
Et la terre, et le fleuve, et leur flotte, et le port,
1300 Sont des champs de carnage où triomphe la mort.
Ô combien d'actions, combien d'exploits célèbres[8]
Sont demeurés sans gloire au milieu des ténèbres,
Où chacun, seul témoin des grands coups qu'il donnait,
Ne pouvait discerner où le sort inclinait[9] !
1305 J'allais de tous côtés encourager les nôtres,
Faire avancer les uns, et soutenir les autres,
Ranger ceux qui venaient, les pousser à leur tour,

notes

1. paraissent : surgissent.
2. se confondent : sont stupéfaits.
3. pressons : attaquons.
4. les rallient : les rejoignent.
5. vertu : courage.
6. alfanges : terme d'origine arabe. Sabres courts appelés aussi cimeterres.
7. au leur : avec leur sang.
8. célèbres : remarquables.
9. où le sort inclinait : quelle armée avait l'avantage.

Et ne l'ai pu savoir[1] jusques au point du jour.
Mais enfin sa clarté[2] montre notre avantage :
1310 Le More voit sa perte et perd soudain courage,
Et voyant un renfort qui nous vient secourir,
L'ardeur de vaincre cède à la peur de mourir.
Ils gagnent leurs vaisseaux, ils en coupent les câbles,
Poussent jusques aux cieux des cris épouvantables,
1315 Font retraite en tumulte, et sans considérer
Si leurs rois avec eux peuvent se retirer.
Pour souffrir ce devoir[3] leur frayeur est trop forte :
Le flux les apporta ; le reflux les remporte,
Cependant que leurs rois, engagés parmi nous,
1320 Et quelque peu des leurs, tous percés de nos coups,
Disputent[4] vaillamment et vendent bien leur vie.
À se rendre moi-même en vain je les convie :
Le cimeterre au poing ils ne m'écoutent pas ;
Mais voyant à leurs pieds tomber tous leurs soldats,
1325 Et que seuls désormais en vain ils se défendent,
Ils demandent le chef : je me nomme, ils se rendent.
Je vous les envoyai tous deux en même temps ;
Et le combat cessa faute de[5] combattants.
C'est de cette façon que, pour votre service...

notes

1. et ne l'ai pu savoir : savoir qui l'emportait.

2. sa clarté : la clarté du jour.

3. pour souffrir ce devoir : pour penser à sauver leurs rois.

4. disputent : combattent.

5. faute de : par manque de.

« Nous partîmes cinq cents ; mais par un prompt renfort
Nous nous vîmes trois mille en arrivant au port »
(vers 1259-1260).
***Le Cid*, film d'Anthony Mann, 1961.**

Au fil du texte

Questions sur l'acte IV, scène 3 (pages 103 à 115)

QUE S'EST-IL PASSÉ ENTRE-TEMPS ?

1. Qu'avons-nous appris au début de l'acte IV ?

2. L'accueil fait à Rodrigue par le roi est-il étonnant ?

AVEZ-VOUS BIEN LU ?

3. Pourquoi le roi donne-t-il à Rodrigue le nom de *« Cid »* ?

4. Quelle est la première réaction de Rodrigue (v. 1229-1236) ?

ÉTUDIER LE DISCOURS

5. Qui parle le plus longtemps dans cette scène ?

6. Relevez les marques d'éloge dans le discours du roi à Rodrigue (v. 1209-1228).

7. Quelle valeur prend le tutoiement dans ce même discours ?

8. La narration* du combat contre les Maures est-elle nécessaire à l'action* ?

9. Combien de parties distinguez-vous dans le récit du combat ?

narration : **fait de raconter, à l'aide d'un récit, une suite de faits, un événement.**

action : **ensemble des événements formant le commencement, le développement et le dénouement d'une pièce de théâtre.**

ÉTUDIER LE VOCABULAIRE ET LA GRAMMAIRE

10. Quel est le temps dominant dans le récit du combat (v. 1257-1329) ?

11. Pourquoi Rodrigue emploie-t-il ce temps plutôt que les temps du passé ?

12. Cherchez le sens des termes « épopée » et « épique ». En quoi le récit fait par Rodrigue est-il un récit épique ?

13. Comment comprenez-vous le vers 1258 ?

ÉTUDIER L'ÉCRITURE

14. Remplacez l'expression *« sortir de la vie »* (v. 1252) par un terme équivalent.

15. Quelle figure de style* reconnaissez-vous dans l'expression *« obscure clarté »* (vers 1273) ?

16. Relevez les jeux de sonorités (allitérations* et assonances*) du vers 1276.

17. Observez la ponctuation et le rythme du vers 1318. Quel rapport pouvez-vous faire avec le sens du vers ?

À VOS PLUMES !

18. Imaginez que vous êtes l'un des rois Maures fait prisonnier par Rodrigue et faites le récit du combat de votre point de vue* en respectant l'enchaînement des événements.

LIRE L'IMAGE

19. Photo page 110 : décrivez le costume de Rodrigue.

MISE EN SCÈNE

20. Après avoir mémorisé l'enchaînement de l'action dans le récit de bataille de Rodrigue, improvisez un récit semblable avec vos propres mots et présentez-le devant vos camarades.

21. Apprenez (entièrement ou partiellement) la tirade* de Rodrigue et faites le récit de la bataille, en veillant à varier le ton et le rythme en fonction de l'action.

figure de style : **procédé d'écriture. Exemple : métaphore, métonymie (*cf.* p. 75), anaphore, etc.**

allitération : **répétition d'une même consonne dans un vers ou une phrase.**

assonance : **répétition d'une même voyelle dans un vers ou une phrase.**

point de vue : **regard à travers lequel sont rapportés les événements d'un récit.**

tirade : **longue suite de vers ou de phrases récitée par un personnage.**

Scène 4

DON FERNAND, DON DIÈGUE, DON RODRIGUE, DON ARIAS, DON ALONSE, DON SANCHE

DON ALONSE

1330 Sire, Chimène vient vous demander justice.

DON FERNAND

La fâcheuse nouvelle, et l'importun[1] devoir !
Va, je ne la veux pas obliger à te voir.
Pour tous remerciements il faut que je te chasse ;
Mais avant que[2] sortir, viens, que ton roi t'embrasse.

DON DIÈGUE

1335 Chimène le poursuit, et voudrait le sauver.

DON FERNAND

On m'a dit qu'elle l'aime, et je vais l'éprouver.
Montrez un œil plus triste[3].

Scène 5

DON FERNAND, DON DIÈGUE, DON ARIAS, DON SANCHE, DON ALONSE, CHIMÈNE, ELVIRE

DON FERNAND

Enfin soyez contente,
Chimène, le succès[4] répond à votre attente :
Si de nos ennemis Rodrigue a le dessus[5],

notes

1. importun : désagréable.

2. avant que : avant de.

3. montrez un œil plus triste : prenez un air triste.

4. le succès : l'issue des combats.

5. vers 1339 (Si de [...] dessus) : après avoir vaincu nos ennemis.

1340 Il est mort à nos yeux des coups qu'il a reçus ;
Rendez grâces au ciel, qui vous en a vengée.

(À don Diègue.)

Voyez comme déjà sa couleur est changée.

DON DIÈGUE
Mais voyez qu'elle pâme[1], et d'un amour parfait,
Dans cette pâmoison, Sire, admirez l'effet.
1345 Sa douleur a trahi les secrets de son âme,
Et ne vous permet plus de douter de sa flamme.

CHIMÈNE
Quoi ! Rodrigue est donc mort ?

DON FERNAND
Non, non, il voit le jour,
Et te conserve encore un immuable amour :
Calme cette douleur qui pour lui s'intéresse[2].

CHIMÈNE
1350 Sire, on pâme de joie ainsi que de tristesse ;
Un excès de plaisir nous rend tout languissants[3],
Et quand il surprend l'âme, il accable les sens.

DON FERNAND
Tu veux qu'en ta faveur nous croyions l'impossible ?
Chimène, ta douleur a paru trop visible.

CHIMÈNE
1355 Eh bien ! Sire, ajoutez ce comble à mon malheur,
Nommez ma pâmoison l'effet de ma douleur :
Un juste déplaisir[4] à ce point m'a réduite.

notes

1. pâme : s'évanouit.
2. s'intéresse : se passionne.
3. languissants : sans force.
4. déplaisir : douleur.

Son trépas[1] dérobait sa tête à ma poursuite ;
S'il meurt des coups reçus pour le bien du pays,
1360 Ma vengeance est perdue et mes desseins[2] trahis :
Une si belle fin m'est trop injurieuse[3].
Je demande sa mort, mais non pas glorieuse,
Non pas dans un éclat qui l'élève si haut,
Non pas au lit d'honneur[4], mais sur un échafaud ;
1365 Qu'il meure pour mon père, et non pour la patrie ;
Que son nom soit taché, sa mémoire flétrie.
Mourir pour le pays n'est pas un triste sort ;
C'est s'immortaliser par une belle mort.
J'aime donc sa victoire, et je le puis sans crime ;
1370 Elle assure[5] l'État, et me rend ma victime,
Mais noble, mais fameuse entre tous les guerriers,
Le chef[6], au lieu de fleurs[7], couronné de lauriers ;
Et pour dire en un mot ce que j'en considère,
Digne d'être immolée aux mânes[8] de mon père...
1375 Hélas ! à quel espoir me laissé-je emporter !
Rodrigue de ma part n'a rien à redouter :
Que pourraient contre lui des larmes qu'on méprise ?
Pour lui tout votre empire est un lieu de franchise[9] ;
Là, sous votre pouvoir, tout lui devient permis ;
1380 Il triomphe de moi comme des ennemis.

notes

1. *trépas* : mort.

2. *desseins* : projets.

3. *injurieuse* : injuste.

4. *lit d'honneur* : champ d'honneur.

5. *elle assure* : sa victoire sauvegarde, protège.

6. *le chef* : la tête.

7. *au lieu de fleurs* : les fleurs dont on couvrait une victime avant le sacrifice, dans l'Antiquité.

8. *immolée aux mânes* : sacrifiée à la mémoire.

9. *un lieu de franchise* : un lieu de liberté.

Dans leur sang répandu la justice étouffée
Aux crimes du vainqueur sert d'un[1] nouveau trophée ;
Nous[2] en croissons la pompe[3], et le mépris des lois
Nous fait suivre son char au milieu de deux rois[4].

DON FERNAND

1385 Ma fille, ces transports ont trop de violence.
Quand on rend la justice, on met tout en balance :
On a tué ton père, il était l'agresseur ;
Et la même équité m'ordonne la douceur.
Avant que d'accuser ce que j'en fais paraître[5],
1390 Consulte bien ton cœur : Rodrigue en est le maître,
Et ta flamme en secret rend grâces à ton roi
Dont la faveur conserve un tel amant pour toi.

CHIMÈNE

Pour moi ! mon ennemi ! l'objet de ma colère !
L'auteur de mes malheurs ! l'assassin de mon père !
1395 De ma juste conduite on fait si peu de cas
Qu'on me croit obliger[6] en ne m'écoutant pas !
Puisque vous refusez la justice à mes larmes,
Sire, permettez-moi de recourir aux armes ;
C'est par là seulement qu'il a su m'outrager,
1400 Et c'est aussi par là que je me dois venger.
À tous vos cavaliers[7] je demande sa tête :
Oui, qu'un d'eux me l'apporte, et je suis sa conquête ;

notes

1. *d'un* : de.

2. *nous* : la justice étouffée et Chimène.

3. *la pompe* : la gloire.

4. *vers 1384 (Nous fait* […] *deux rois)* : chez les Romains, les prisonniers suivaient le char du vainqueur. Chimène se dit vaincue comme les deux rois maures faits prisonniers par Rodrigue.

5. *ce que j'en fais paraître* : mon indulgence.

6. *qu'on me croit obliger* : qu'on pense me faire une faveur.

7. *cavaliers* : gentilshommes, chevaliers.

Qu'ils le combattent, Sire, et le combat fini,
J'épouse le vainqueur, si Rodrigue est puni.
1405 Sous votre autorité souffrez qu'on le publie[1].

DON FERNAND
Cette vieille coutume en ces lieux établie,
Sous couleur de[2] punir un injuste attentat,
Des meilleurs combattants affaiblit un État ;
Souvent de cet abus le succès déplorable[3]
1410 Opprime l'innocent, et soutient le coupable.
J'en dispense Rodrigue ; il m'est trop précieux
Pour l'exposer aux coups d'un sort capricieux ;
Et quoi qu'ait pu commettre un cœur si magnanime,
Les Mores en fuyant ont emporté son crime.

DON DIÈGUE
1415 Quoi ! Sire, pour lui seul vous renversez des lois
Qu'a vu toute la cour observer tant de fois !
Que croira votre peuple et que dira l'envie,
Si sous votre défense il ménage sa vie,
Et s'en fait un prétexte à ne paraître pas
1420 Où tous les gens d'honneur cherchent un beau trépas ?
De pareilles faveurs terniraient trop sa gloire :
Qu'il goûte sans rougir les fruits de sa victoire.
Le Comte eut de l'audace, il l'en a su punir :
Il l'a fait en brave homme[4], et le doit maintenir[5].

notes

1. qu'on le publie : qu'on annonce cette décision.

2. sous couleur de : sous prétexte de.

3. le succès déplorable : l'issue tragique.

4. en brave homme : en homme courageux.

5. et le doit maintenir : rester courageux.

DON FERNAND

1425 Puisque vous le voulez, j'accorde qu'il le fasse ;
Mais d'un guerrier vaincu mille prendraient la place,
Et le prix[1] que Chimène au vainqueur a promis
De tous mes cavaliers ferait ses ennemis.
L'opposer seul à tous serait trop d'injustice :
1430 Il suffit qu'une fois il entre dans la lice[2].
Choisis qui tu voudras, Chimène, et choisis bien ;
Mais après ce combat ne demande plus rien.

DON DIÈGUE

N'excusez point par là ceux que son bras étonne[3] :
Laissez un champ ouvert, où n'entrera personne.
1435 Après ce que Rodrigue a fait voir aujourd'hui,
Quel courage assez vain[4] s'oserait prendre à lui ?
Qui se hasarderait contre un tel adversaire ?
Qui serait ce vaillant, ou bien ce téméraire ?

DON SANCHE

Faites ouvrir le champ : vous voyez l'assaillant ;
1440 Je suis ce téméraire, ou plutôt ce vaillant.
Accordez cette grâce à l'ardeur qui me presse,
Madame : vous savez quelle est votre promesse.

DON FERNAND

Chimène, remets-tu ta querelle[5] en sa main ?

notes

1. ***le prix :*** Chimène a promis d'épouser le vainqueur.

2. ***la lice :*** arène fermée où se déroulaient les combats.

3. ***ceux que son bras étonne :*** ceux qui ont peur de Rodrigue. En laissant choisir un adversaire par Chimène, le roi fournit une excuse à tous ceux qui n'oseraient pas affronter Rodrigue.

4. ***vain :*** orgueilleux.

5. ***querelle :*** cause.

CHIMÈNE
Sire, je l'ai promis.

DON FERNAND
Soyez prêt à demain.

DON DIÈGUE
1445 Non, Sire, il ne faut pas différer davantage :
On est toujours trop prêt quand on a du courage.

DON FERNAND
Sortir d'une bataille, et combattre à l'instant !

DON DIÈGUE
Rodrigue a pris haleine en vous la racontant.

DON FERNAND
Du moins une heure ou deux je veux qu'il se délasse.
1450 Mais de peur qu'en exemple un tel combat ne passe,
Pour témoigner à tous qu'à regret je permets
Un sanglant procédé qui ne me plut jamais,
De moi ni de ma cour il n'aura la présence.

(Il parle à don Arias.)

Vous seul des combattants jugerez la vaillance :
1455 Ayez soin que tous deux fassent[1] en gens de cœur,
Et le combat fini, m'amenez le vainqueur.
Qui qu'il soit, même prix est acquis à sa peine :
Je le veux de ma main présenter à Chimène,
Et que pour récompense il reçoive sa foi[2].

CHIMÈNE
1460 Quoi ! Sire, m'imposer une si dure loi !

notes

1. fassent : se comportent.

2. sa foi : la promesse de l'épouser.

DON FERNAND
Tu t'en plains ; mais ton feu, loin d'avouer[1] ta plainte,
Si Rodrigue est vainqueur, l'accepte[2] sans contrainte.
Cesse de murmurer[3] contre un arrêt si doux :
Qui que ce soit des deux, j'en ferai ton époux.

notes

1. d'avouer : d'approuver. **2. l'accepte :** l'acceptera. **3. murmurer :** protester.

Au fil du texte

Questions sur l'acte IV, scène 5 (pages 119 à 126)

Que s'est-il passé entre-temps ?

1. À quel moment Rodrigue a-t-il fait le récit de ses exploits ?

2. Quand Rodrigue a-t-il quitté la scène ?

3. Que vient réclamer Chimène ?

Avez-vous bien lu ?

4. De quel stratagème* le roi use-t-il pour découvrir les véritables sentiments de Chimène ?

5. Comment Chimène tente-t-elle de sauver la face ?

6. Comment Chimène compte-t-elle obtenir justice (v. 1393-1405) ?

7. Que décide finalement le roi ?

stratagème : **ruse habile.**

action : **ensemble des événements formant le commencement, le développement et le dénouement d'une pièce de théâtre.**

Étudier la place de la scène dans la pièce

8. Comparez cette scène avec la scène 8 de l'acte II. Quelles ressemblances relevez-vous ?

9. À quel moment de l'acte sommes-nous ?

10. À la fin de cette scène, quelles questions restent en suspens ?

11. Dans la tragédie, la durée de l'action* ne devait pas dépasser vingt-quatre heures (voir dossier page 174). Quelles répliques mettent l'accent sur cette règle appelée unité de temps ?

ÉTUDIER UN THÈME : LE DUEL

12. Que désignent les expressions *« cette vieille coutume »* (v. 1406), *« cet abus »* (v. 1409) ?

13. Quelle est l'opinion du roi sur les duels ?

14. Pourquoi don Diègue insiste-t-il pour que Rodrigue se batte en duel ?

15. Pourquoi le roi modifie-t-il les règles du duel demandé par Chimène ?

ÉTUDIER LE DISCOURS

16. Quel sentiment révèlent les exclamations des vers 1393-1396 ?

17. Qui est désigné par le pronom *« on »* des vers 1395-1396 ?

ÉTUDIER LE VOCABULAIRE

18. Donnez l'origine du terme *« franchise »* (v. 1378) et cherchez deux mots de la même famille.

19. Donnez l'adjectif formé à partir du mot *« pompe »* (v. 1383) et précisez son sens.

20. Donnez les différents sens du verbe *« obliger »* (v. 1396) et employez-les dans des phrases de votre composition.

ÉTUDIER L'ÉCRITURE

21. Expliquez l'image du vers 1414.

22. Comparez les vers 1438 et 1440. Que remarquez-vous ?

Scène 1

DON RODRIGUE, CHIMÈNE

(Chez Chimène.)

CHIMÈNE

1465 Quoi ! Rodrigue, en plein jour ! d'où te vient cette audace ?
Va, tu me perds d'honneur[1] ; retire-toi, de grâce.

DON RODRIGUE

Je vais mourir, Madame, et vous viens en ce lieu,
Avant le coup mortel, dire un dernier adieu :
Cet immuable[2] amour qui sous vos lois m'engage
1470 N'ose accepter ma mort sans vous en faire hommage.

CHIMÈNE

Tu vas mourir !

notes

1. tu me perds d'honneur : tu me déshonores.

2. immuable : constant, éternel.

DON RODRIGUE

Je cours à ces heureux moments
Qui vont livrer ma vie à vos ressentiments.

CHIMÈNE

Tu vas mourir ! Don Sanche est-il si redoutable
Qu'il donne l'épouvante à ce cœur indomptable ?
1475 Qui t'a rendu si faible, ou qui le rend si fort ?
Rodrigue va combattre, et se croit déjà mort !
Celui qui n'a pas craint les Mores, ni mon père,
Va combattre don Sanche, et déjà désespère !
Ainsi donc au besoin[1] ton courage s'abat !

DON RODRIGUE

1480 Je cours à mon supplice, et non pas au combat ;
Et ma fidèle ardeur sait bien m'ôter l'envie,
Quand vous cherchez ma mort, de défendre ma vie[2].
J'ai toujours même cœur ; mais je n'ai point de bras
Quand il faut conserver ce qui ne vous plaît pas ;
1485 Et déjà cette nuit m'aurait été mortelle,
Si j'eusse combattu pour ma seule querelle ;
Mais défendant mon roi, son peuple et mon pays,
À me défendre[3] mal je les aurais trahis.
Mon esprit généreux ne hait pas tant la vie,
1490 Qu'il en veuille sortir par une perfidie.
Maintenant qu'il s'agit de mon seul intérêt,
Vous demandez ma mort, j'en accepte l'arrêt[4].
Votre ressentiment choisit la main d'un autre
(Je ne méritais pas de mourir de la vôtre) :
1495 On ne me verra point en repousser les coups ;

notes

1. ***au besoin :*** dans la nécessité.

2. ***vers 1481-82 (Et ma fidèle […] ma vie) :*** je ne défendrai pas ma vie puisque vous voulez ma mort.

3. ***à me défendre :*** en me défendant.

4. ***l'arrêt :*** le verdict.

Je dois plus de respect à qui combat pour vous ;
Et ravi de penser que c'est de vous qu'ils viennent,
Puisque c'est votre honneur que ses armes soutiennent,
Je vais lui présenter mon estomac[1] ouvert,
1500 Adorant en sa main la vôtre qui me perd.

CHIMÈNE
Si d'un triste devoir la juste violence,
Qui me fait malgré moi poursuivre ta vaillance,
Prescrit à ton amour une si forte loi
Qu'il te rend sans défense à qui combat pour moi,
1505 En cet aveuglement ne perds pas la mémoire
Qu'ainsi que de ta vie il y va de ta gloire,
Et que dans quelque éclat[2] que Rodrigue ait vécu,
Quand on le saura mort, on le croira vaincu.
Ton honneur t'est plus cher que je ne te suis chère,
1510 Puisqu'il trempe tes mains dans le sang de mon père,
Et te fait renoncer, malgré ta passion,
À l'espoir le plus doux de ma possession[3] :
Je t'en vois cependant faire si peu de conte
Que sans rendre combat[4] tu veux qu'on te surmonte[5].
1515 Quelle inégalité ravale ta vertu ?[6]
Pourquoi ne l'as-tu plus, ou pourquoi l'avais-tu ?
Quoi ? n'es-tu généreux que pour me faire outrage ?
S'il ne faut m'offenser, n'as-tu point de courage ?
Et traites-tu mon père avec tant de rigueur,
1520 Qu'après l'avoir vaincu tu souffres[7] un vainqueur ?
Va, sans vouloir mourir, laisse-moi te poursuivre,
Et défends ton honneur, si tu ne veux plus vivre.

notes

1. *estomac* : poitrine.

2. *éclat* : gloire.

3. *vers 1512 (À l'espoir* […] *possession)* : à l'espoir de me posséder qui était le plus doux pour toi.

4. *rendre combat* : combattre.

5. *surmonte* : vainque.

6. *vers 1515 (Quelle inégalité* […] *vertu ?)* : quel caprice rabaisse ton courage ?

7. *tu souffres* : tu tolères.

DON RODRIGUE

Après la mort du Comte, et les Mores défaits,
Faudrait-il à ma gloire encor d'autres effets[1] ?
1525 Elle[2] peut dédaigner le soin de me défendre :
On sait que mon courage ose tout entreprendre,
Que ma valeur peut tout, et que dessous les cieux,
Auprès de[3] mon honneur, rien ne m'est précieux.
Non, non, en ce combat, quoi que vous veuilliez croire,
1530 Rodrigue peut mourir sans hasarder[4] sa gloire,
Sans qu'on l'ose accuser d'avoir manqué de cœur,
Sans passer pour vaincu, sans souffrir un vainqueur.
On dira seulement : « Il adorait Chimène ;
Il n'a pas voulu vivre et mériter sa haine ;
1535 Il a cédé lui-même à la rigueur du sort
Qui forçait sa maîtresse à poursuivre sa mort :
Elle voulait sa tête : et son cœur magnanime,
S'il l'en eût refusée, eût pensé faire un crime.
Pour venger son honneur il perdit son amour,
1540 Pour venger sa maîtresse il a quitté le jour,
Préférant, quelque espoir qu'eût son âme asservie[5],
Son honneur à Chimène, et Chimène à sa vie. »
Ainsi donc vous verrez ma mort en ce combat,
Loin d'obscurcir ma gloire, en rehausser l'éclat ;
1545 Et cet honneur suivra mon trépas volontaire,
Que tout autre que moi n'eût pu vous satisfaire[6].

notes

1. *effets :* preuves.

2. *elle :* ma gloire.

3. *auprès de :* en comparaison de.

4. *hasarder :* mettre en danger.

5. *asservie :* esclave de sa passion.

6. *vers 1546 (Que* [...] *satisfaire) :* la proposition détermine « *honneur* » : cet honneur que.

CHIMÈNE

Puisque, pour t'empêcher de courir au trépas,
Ta vie et ton honneur sont de faibles appas[1],
Si jamais je t'aimai, cher Rodrigue, en revanche[2],
1550 Défends-toi maintenant pour m'ôter à don Sanche ;
Combats pour m'affranchir d'une condition
Qui me donne à l'objet de mon aversion[3].
Te dirai-je encor plus ? va, songe à ta défense,
Pour forcer mon devoir, pour m'imposer silence ;
1555 Et si tu sens pour moi ton cœur encore épris,
Sors vainqueur d'un combat dont Chimène est le prix.
Adieu : ce mot lâché me fait rougir de honte.

DON RODRIGUE

Est-il quelque ennemi qu'à présent je ne dompte ?
Paraissez, Navarrais[4], Mores et Castillans,
1560 Et tout ce que l'Espagne a nourri de vaillants ;
Unissez-vous ensemble, et faites une armée,
Pour combattre une main de la sorte animée :
Joignez tous vos efforts contre un espoir si doux ;
Pour en[5] venir à bout, c'est trop peu que de vous.

notes

1. appas : raisons.

2. vers 1549 (Si jamais […] revanche) : puisque je t'ai aimé, en retour.

3. l'objet de mon aversion : don Sanche.

4. Navarrais : habitants de la Navarre, royaume indépendant du nord de l'Espagne.

5. en : de l'espoir.

Au fil du texte

Questions sur l'acte V, scène 1 (pages 129 à 133)

QUE S'EST-IL PASSÉ ENTRE-TEMPS ?

1. Quand Rodrigue et Chimène se sont-ils rencontrés avant cette scène ?

2. Quels exploits Rodrigue a-t-il accomplis au cours de l'acte IV ?

3. Quelle a été la décision du roi concernant la vengeance de Chimène (acte IV, scène 5) ?

argument **:** **raison que l'on donne pour convaincre.**

ironie **:** **manière de se moquer en disant le contraire de ce qu'on veut faire entendre.**

AVEZ-VOUS BIEN LU ?

4. Pourquoi Rodrigue vient-il voir Chimène ?

5. Que montre la réaction de Chimène (v. 1473-1479) ?

6. Quels sont les sentiments de Rodrigue dans la dernière réplique ?

ÉTUDIER LE DISCOURS

7. Quel argument* Rodrigue avance-t-il pour justifier sa décision (v. 1480-1500) ?

8. Comment Chimène réfute-t-elle l'argument de Rodrigue (v. 1501-1522) ?

9. Quelle réponse logique Rodrigue oppose-t-il à Chimène (v. 1523-1546) ?

10. Quelle promesse Chimène finit-elle par faire pour convaincre Rodrigue ?

11. Expliquez l'ironie* des vers 1476-1478.

12. Pourquoi, selon vous, Rodrigue vouvoie-t-il Chimène, alors qu'elle le tutoie ?

Étudier le vocabulaire

13. Quelle est la signification féodale* du mot *« hommage »* (v. 1470) ?

14. Relevez le champ lexical* de la chevalerie dans le discours de Rodrigue.

Mise en scène

15. Vous pouvez apprendre par cœur les deux dernières répliques de la scène et jouer cet extrait devant la classe, en essayant de bien mettre en valeur les sentiments des personnages (la honte de Chimène après son aveu et l'exaltation joyeuse de Rodrigue).

féodal(e) : **propre aux seigneurs médiévaux.**

champ lexical : **ensemble des mots se rapportant à un même thème.**

Scène 2

L'INFANTE

(Chez l'Infante.)

L'INFANTE

1565 T'écouterai-je encor, respect de ma naissance[1],
Qui fais un crime de mes feux ?
T'écouterai-je, amour dont la douce puissance
Contre ce fier tyran[2] fait révolter mes vœux[3] ?
Pauvre princesse, auquel des deux[4]
1570 Dois-tu prêter obéissance ?
Rodrigue, ta valeur te rend digne de moi ;
Mais pour être[5] vaillant, tu n'es pas fils de roi.

Impitoyable sort, dont la rigueur sépare
Ma gloire d'avec mes désirs !
1575 Est-il dit que le choix d'une vertu si rare[6]
Coûte à ma passion de si grands déplaisirs[7] ?
Ô cieux ! à combien de soupirs
Faut-il que mon cœur se prépare,
Si jamais il n'obtient sur[8] un si long tourment
1580 Ni d'éteindre l'amour, ni d'accepter l'amant !

Mais c'est trop de scrupule, et ma raison s'étonne
Du mépris d'un si digne choix[9] :
Bien qu'aux monarques seuls ma naissance me donne,
Rodrigue, avec honneur je vivrai sous tes lois.

notes

1. *respect de ma naissance* : respect dû à mon rang.

2. *ce fier tyran* : le respect du rang.

3. *fait révolter mes vœux* : fait résister mes désirs.

4. *auquel des deux* : le respect de la naissance ou l'amour.

5. *pour être* : bien que tu sois.

6. *une vertu si rare* : la gloire d'un haut rang.

7. *déplaisirs* : souffrances.

8. *sur* : en l'emportant sur.

9. *un si digne choix* : le choix de Rodrigue.

1585 Après avoir vaincu deux rois,
Pourrais-tu manquer de couronne ?
Et ce grand nom de Cid que tu viens de gagner
Ne fait-il pas trop voir sur qui tu dois régner ?

Il est digne de moi, mais il est à Chimène ;
1590 Le don que j'en ai fait me nuit.
Entre eux la mort d'un père a si peu mis de haine,
Que le devoir du sang à regret le poursuit :
Ainsi n'espérons aucun fruit
De son crime, ni de ma peine,
1595 Puisque pour me punir le destin a permis
Que l'amour dure même entre deux ennemis.

Scène 3

L'INFANTE, LÉONOR

L'INFANTE
Où viens-tu, Léonor ?

LÉONOR
Vous applaudir[1], Madame,
Sur le repos qu'enfin a retrouvé votre âme.

L'INFANTE
D'où viendrait ce repos dans un comble d'ennui ?

notes

1. *vous applaudir* : me réjouir avec vous.

LÉONOR

1600 Si l'amour vit d'espoir, et s'il meurt avec lui,
Rodrigue ne peut plus charmer votre courage[1].
Vous savez le combat où Chimène l'engage :
Puisqu'il faut qu'il y meure, ou qu'il soit son mari,
Votre espérance est morte et votre esprit guéri.

L'INFANTE

1605 Ah ! qu'il s'en faut encor[2] !

LÉONOR

Que pouvez-vous prétendre[3] ?

L'INFANTE

Mais plutôt quel espoir me pourrais-tu défendre ?
Si Rodrigue combat sous ces conditions,
Pour en rompre l'effet, j'ai trop d'inventions[4].
L'amour, ce doux auteur de mes cruels supplices,
1610 Aux esprits des amants[5] apprend trop d'artifices.

LÉONOR

Pourrez-vous quelque chose, après qu'un père mort
N'a pu dans leurs esprits allumer de discord[6] ?
Car Chimène aisément montre par sa conduite
Que la haine aujourd'hui ne fait pas[7] sa poursuite.
1615 Elle obtient un combat, et pour son combattant
C'est le premier offert qu'elle accepte à l'instant :
Elle n'a point recours à ces mains généreuses
Que tant d'exploits fameux rendent si glorieuses ;

notes

1. *charmer votre courage* : vous séduire.

2. *qu'il s'en faut encor !* : que j'en suis loin !

3. *prétendre* : espérer.

4. *trop d'inventions* : beaucoup d'idées, de stratagèmes.

5. *amants* : amoureux.

6. *allumer de discord* : susciter la discorde, la haine.

7. *ne fait pas* : ne guide pas.

Don Sanche lui suffit, et mérite son choix[1],
1620 Parce qu'il va s'armer pour la première fois.
Elle aime en ce duel son peu d'expérience ;
Comme il est sans renom, elle est sans défiance[2] ;
Et sa facilité[3] vous doit bien faire voir
Qu'elle cherche un combat qui force son devoir,
1625 Qui livre à son Rodrigue une victoire aisée,
Et l'autorise enfin à paraître apaisée.

L'INFANTE
Je le remarque assez, et toutefois mon cœur
À l'envi de[4] Chimène adore ce vainqueur.
À quoi me résoudrai-je, amante infortunée ?

LÉONOR
1630 À vous mieux souvenir de qui vous êtes née :
Le ciel vous doit un roi, vous aimez un sujet !

L'INFANTE
Mon inclination[5] a bien changé d'objet.
Je n'aime plus Rodrigue, un simple gentilhomme ;
Non, ce n'est plus ainsi que mon amour le nomme :
1635 Si j'aime, c'est l'auteur de tant de beaux exploits,
C'est le valeureux Cid, le maître de deux rois.
Je me vaincrai pourtant, non de peur d'aucun blâme[6],
Mais pour ne troubler pas une si belle flamme[7] ;
Et quand[8] pour m'obliger[9] on l'aurait couronné,

notes

1. et mérite son choix : et ce choix se justifie.

2. défiance : crainte.

3. facilité : l'accord facilement donné à don Sanche.

4. à l'envi de : tout comme.

5. inclination : amour.

6. d'aucun blâme : de quelque condamnation.

7. une si belle flamme : l'amour de Rodrigue et de Chimène.

8. et quand : et même si.

9. pour m'obliger : pour me faire plaisir.

La comédienne Rachel dans le rôle de Chimène.

1640 Je ne veux point reprendre un bien que j'ai donné,
Puisqu'en un tel combat sa victoire est certaine,
Allons encore un coup le donner à Chimène.
Et toi, qui vois les traits[1] dont mon cœur est percé,
Viens me voir achever comme j'ai commencé.

Scène 4

CHIMÈNE, ELVIRE

(Chez Chimène.)

CHIMÈNE

1645 Elvire, que je souffre, et que je suis à plaindre !
Je ne sais qu'espérer, et je vois tout à craindre ;
Aucun vœu ne m'échappe où j'ose consentir[2] ;
Je ne souhaite rien sans un prompt repentir.
À deux rivaux pour moi je fais prendre les armes :
1650 Le plus heureux succès[3] me coûtera des larmes ;
Et quoi qu'en ma faveur en ordonne le sort,
Mon père est sans vengeance, ou mon amant est mort.

ELVIRE

D'un et d'autre côté je vous vois soulagée :
Ou vous avez Rodrigue, ou vous êtes vengée ;
1655 Et quoi que le destin puisse ordonner de vous,
Il soutient votre gloire, et vous donne un époux.

notes

1. *traits* : ce sont les flèches de Cupidon, dieu de l'Amour.

2. *vers 1647 (Aucun* […] *consentir)* : je n'ose consentir à aucun de mes souhaits.

2. *succès* : dénouement.

CHIMÈNE
Quoi ! l'objet de ma haine ou de tant de colère !
L'assassin de Rodrigue ou celui de mon père !
De tous les deux côtés on me donne un mari
1660 Encor tout teint du sang que j'ai le plus chéri ;
De tous les deux côtés mon âme se rebelle :
Je crains plus que la mort la fin de ma querelle :
Allez, vengeance, amour, qui troublez mes esprits,
Vous n'avez point pour moi de douceurs à ce prix ;
1665 Et toi, puissant moteur[1] du destin qui m'outrage,
Termine ce combat sans aucun avantage,
Sans faire aucun des deux ni vaincu ni vainqueur.

ELVIRE
Ce serait vous traiter avec trop de rigueur.
Ce combat pour votre âme est un nouveau supplice,
1670 S'il vous laisse obligée à demander justice,
À témoigner toujours ce haut ressentiment,
Et poursuivre toujours la mort de votre amant.
Madame, il vaut bien mieux que sa rare vaillance,
Lui couronnant le front[2], vous impose silence ;
1675 Que la loi du combat étouffe vos soupirs,
Et que le Roi vous force à suivre vos désirs.

CHIMÈNE
Quand il sera vainqueur, crois-tu que je me rende ?
Mon devoir est trop fort, et ma perte trop grande ;
Et ce n'est pas assez pour leur faire la loi[3]
1680 Que celle du combat et le vouloir[4] du Roi.

notes

1. puissant moteur : métaphore désignant Dieu, que le théâtre non religieux évite de nommer.

2. lui couronnant le front : (sous-entendu : de laurier) : en lui donnant la victoire.

3. pour leur faire la loi : pour effacer mon devoir et ma perte.

4. le vouloir : la volonté.

Il peut vaincre don Sanche avec fort peu de peine,
Mais non pas avec lui la gloire de Chimène ;
Et quoi qu'à sa victoire un monarque ait promis,
Mon honneur lui fera mille autres ennemis.

ELVIRE

1685 Gardez[1], pour vous punir de cet orgueil étrange,
Que le ciel à la fin ne souffre qu'on vous venge.
Quoi ! vous voulez encor refuser le bonheur
De pouvoir maintenant vous taire avec honneur ?
Que prétend ce devoir, et qu'est-ce qu'il espère ?
1690 La mort de votre amant vous rendra-t-elle un père ?
Est-ce trop peu pour vous que d'un coup[2] de malheur ?
Faut-il perte sur perte, et douleur sur douleur ?
Allez, dans le caprice[3] où votre humeur s'obstine,
Vous ne méritez pas l'amant qu'on vous destine ;
1695 Et nous verrons du ciel l'équitable courroux[4]
Vous laisser, par sa mort, don Sanche pour époux.

CHIMÈNE

Elvire, c'est assez des peines que j'endure,
Ne les redouble point de ce funeste augure[5].
Je veux, si je le puis, les éviter tous deux ;
1700 Sinon, en ce combat Rodrigue a tous mes vœux[6] :
Non qu'une folle ardeur de son côté me penche ;
Mais s'il était vaincu, je serais à don Sanche ;
Cette appréhension fait naître mon souhait.
Que vois-je, malheureuse ? Elvire, c'en est fait.

notes

1. gardez : prenez garde.

2. d'un coup : d'un seul coup.

3. caprice : décision absurde.

4. l'équitable courroux : la juste colère.

5. funeste augure : présage malheureux.

6. a tous mes vœux : a ma préférence.

Don Sanche
« Obligé d'apporter à vos pieds cette épée… »
(vers 1705)

Scène 5

DON SANCHE, CHIMÈNE, ELVIRE

DON SANCHE

1705 Obligé d'apporter à vos pieds cette épée...

CHIMÈNE

Quoi ? du sang de Rodrigue encor toute trempée ?[1]
Perfide, oses-tu bien te montrer à mes yeux,
Après m'avoir ôté ce que j'aimais le mieux ?
Éclate, mon amour, tu n'as plus rien à craindre :
1710 Mon père est satisfait, cesse de te contraindre.
Un même coup a mis ma gloire en sûreté,
Mon âme au désespoir, ma flamme en liberté.

DON SANCHE

D'un esprit plus rassis[2]...

CHIMÈNE

Tu me parles encore,
Exécrable assassin d'un héros que j'adore ?
1715 Va, tu l'as pris en traître ; un guerrier si vaillant
N'eût jamais succombé sous un tel assaillant.
N'espère rien de moi, tu ne m'as point servie :
En croyant me venger, tu m'as ôté la vie.

DON SANCHE

Étrange impression[3], qui loin de m'écouter...

notes

1. vers 1706 (Quoi ? [...] trempée ?) : comparez avec le v. 858 (acte III, scène 4).

2. rassis : calme.

3. étrange impression : réaction incroyable.

CHIMÈNE
1720 Veux-tu que de sa mort je t'écoute vanter,
Que j'entende à loisir avec quelle insolence
Tu peindras son malheur, mon crime et ta vaillance ?

Scène 6

DON FERNAND, DON DIÈGUE,
DON ARIAS, DON SANCHE,
DON ALONSE, CHIMÈNE, ELVIRE
(Chez le Roi.)

CHIMÈNE
Sire, il n'est plus besoin de vous dissimuler
Ce que tous mes efforts ne vous ont pu celer[1].
1725 J'aimais, vous l'avez su ; mais pour venger mon père,
J'ai bien voulu proscrire[2] une tête si chère :
Votre Majesté, Sire, elle-même a pu voir
Comme j'ai fait céder mon amour au devoir.
Enfin Rodrigue est mort, et sa mort m'a changée
1730 D'implacable ennemie en amante affligée.
J'ai dû cette vengeance à qui m'a mise au jour[3],
Et je dois maintenant ces pleurs à mon amour.
Don Sanche m'a perdue en prenant ma défense,
Et du bras qui me perd[4] je suis la récompense !
1735 Sire, si la pitié peut émouvoir un roi,
De grâce, révoquez une si dure loi ;
Pour prix d'une victoire où je perds ce que j'aime,

notes

1. ***celer :*** cacher.
2. ***proscrire :*** mettre à prix.
3. ***à qui m'a mise au jour :*** à mon père.
4. ***qui me perd :*** qui fait mon malheur.

Je lui laisse mon bien[1] ; qu'il me laisse à moi-même ;
Qu'en un cloître sacré[2] je pleure incessamment[3],
1740 Jusqu'au dernier soupir, mon père et mon amant.

DON DIÈGUE
Enfin, elle aime, Sire, et ne croit plus un crime
D'avouer par sa bouche un amour légitime.

DON FERNAND
Chimène, sors d'erreur, ton amant n'est pas mort,
Et don Sanche vaincu t'a fait un faux rapport.

DON SANCHE
1745 Sire, un peu trop d'ardeur malgré moi l'a déçue[4] :
Je venais du combat lui raconter l'issue.
Ce généreux guerrier dont son cœur est charmé :
« Ne crains rien, m'a-t-il dit, quand il m'a désarmé ;
Je laisserais plutôt la victoire incertaine,
1750 Que de répandre un sang hasardé[5] pour Chimène ;
Mais puisque mon devoir m'appelle auprès du Roi,
Va de notre combat l'entretenir[6] pour moi,
De la part du vainqueur lui porter ton épée. »
Sire, j'y suis venu : cet objet l'a trompée ;
1755 Elle m'a cru vainqueur, me voyant de retour,
Et soudain sa colère a trahi son amour
Avec tant de transport et tant d'impatience,
Que je n'ai pu gagner un moment d'audience[7].
Pour moi, bien que vaincu, je me répute heureux[8] ;

notes

1. *mon bien* : ma fortune.
2. *cloître sacré* : couvent.
3. *incessamment* : continuellement.
4. *déçue* : trompée.
5. *hasardé* : risqué.
6. *l'entretenir* : parler à Chimène.
7. *audience* : attention.
8. *je me répute heureux* : je m'estime heureux.

1760 Et malgré l'intérêt de mon cœur amoureux,
Perdant infiniment, j'aime encor ma défaite,
Qui fait le beau succès[1] d'une amour[2] si parfaite.

DON FERNAND
Ma fille, il ne faut point rougir d'un si beau feu,
Ni chercher les moyens d'en faire un désaveu[3].
1765 Une louable honte en vain t'en sollicite.
Ta gloire est dégagée et ton honneur est quitte ;
Ton père est satisfait, et c'était le venger
Que mettre tant de fois ton Rodrigue en danger.
Tu vois comme le ciel autrement en dispose[4].
1770 Ayant tant fait pour lui[5], fais pour toi quelque chose,
Et ne sois point rebelle à mon commandement,
Qui te donne un époux aimé si chèrement.

Scène 7

DON FERNAND, DON DIÈGUE, DON ARIAS, DON RODRIGUE, DON ALONSE, DON SANCHE, L'INFANTE, CHIMÈNE, LÉONOR, ELVIRE

L'INFANTE
Sèche tes pleurs, Chimène, et reçois sans tristesse
Ce généreux vainqueur des mains de ta princesse.

notes

1. *le beau succès* : l'heureux dénouement.

2. *une amour* : le féminin est admis au XVIIe siècle.

3. *d'en faire un désaveu* : de le nier.

4. *en dispose* : en décide.

5. *pour lui* : pour ton père.

DON RODRIGUE

1775 Ne vous offensez point, Sire, si devant vous
Un respect amoureux me jette à ses genoux.
Je ne viens point ici demander ma conquête :
Je viens tout de nouveau vous apporter ma tête,
Madame ; mon amour n'emploiera point pour moi
1780 Ni la loi du combat, ni le vouloir du Roi.
Si tout ce qui s'est fait est trop peu pour un père,
Dites par quels moyens il vous faut satisfaire.
Faut-il combattre encor mille et mille rivaux,
Aux deux bouts de la terre étendre mes travaux[1],
1785 Forcer moi seul un camp, mettre en fuite une armée,
Des héros fabuleux[2] passer[3] la renommée ?
Si mon crime par là se peut enfin laver,
J'ose tout entreprendre, et puis tout achever ;
Mais si ce fier honneur, toujours inexorable,
1790 Ne se peut apaiser sans la mort du coupable,
N'armez plus contre moi le pouvoir des humains :
Ma tête est à vos pieds, vengez-vous par vos mains ;
Vos mains seules ont droit de vaincre un invincible ;
Prenez une vengeance à tout autre impossible,
1795 Mais du moins que ma mort suffise à me punir :
Ne me bannissez point de votre souvenir ;
Et puisque mon trépas conserve votre gloire,
Pour vous en revancher[4] conservez ma mémoire,
Et dites quelquefois, en déplorant mon sort :
1800 « S'il ne m'avait aimée, il ne serait pas mort.

notes

1. ***travaux*** **:** exploits, en référence aux travaux d'Hercule.

2. ***fabuleux*** **:** de la mythologie.

3. ***passer*** **:** surpasser.

4. ***pour vous en revancher*** **:** en compensation de ma mort.

Le Roi (Dominique Rozan), Chimène (Ludmila Mikael)
et Rodrigue (François Beaulieu), dans une mise en scène de Terry Hands.
Comédie-Française, le 30 janvier 1977.

CHIMÈNE
Relève-toi, Rodrigue. Il faut l'avouer, Sire,
Je vous en ai trop dit pour m'en pouvoir dédire[1].
Rodrigue a des vertus que je ne puis haïr ;
Et quand un roi commande, on lui doit obéir.
1805 Mais à quoi que déjà vous m'ayez condamnée,
Pourrez-vous à vos yeux souffrir cet hyménée[2] ?
Et quand de mon devoir vous voulez cet effort,
Toute votre justice en[3] est-elle d'accord ?
Si Rodrigue à l'État devient si nécessaire,
1810 De ce qu'il fait pour vous dois-je être le salaire,
Et me livrer moi-même au reproche éternel
D'avoir trempé mes mains dans le sang paternel ?

DON FERNAND
Le temps assez souvent a rendu légitime
Ce qui semblait d'abord ne se pouvoir sans crime :
1815 Rodrigue t'a gagnée, et tu dois être à lui.
Mais quoique sa valeur t'ait conquise aujourd'hui,
Il faudrait que je fusse ennemi de ta gloire
Pour lui donner sitôt le prix de sa victoire.
Cet hymen différé ne rompt point une loi
1820 Qui sans marquer de temps lui destine ta foi[4].
Prends un an, si tu veux, pour essuyer tes larmes.
Rodrigue, cependant[5], il faut prendre les armes.
Après avoir vaincu les Mores sur nos bords,
Renversé leurs desseins, repoussé leurs efforts,
1825 Va jusqu'en leur pays leur reporter la guerre,

notes

1. **dédire :** contredire, nier.
2. **hyménée :** mariage.
3. **en :** de ce mariage.
4. **lui destine ta foi :** lui promet ta main.
5. **cependant :** pendant ce temps.

Commander mon armée, et ravager leur terre :
À ce nom seul de Cid ils trembleront d'effroi ;
Ils t'ont nommé seigneur, et te voudront pour roi.
Mais parmi tes hauts faits sois-lui toujours fidèle :
1830 Reviens-en, s'il se peut, encor plus digne d'elle ;
Et par tes grands exploits fais-toi si bien priser[1],
Qu'il lui soit glorieux alors de t'épouser.

DON RODRIGUE
Pour posséder Chimène, et pour votre service,
Que peut-on m'ordonner que mon bras n'accomplisse ?
1835 Quoi qu'absent de ses yeux il me faille endurer[2],
Sire, ce m'est trop d'heur[3] de pouvoir espérer.

DON FERNAND
Espère en ton courage, espère en ma promesse ;
Et possédant déjà le cœur de ta maîtresse,
Pour vaincre un point d'honneur qui combat contre toi,
1840 Laisse faire le temps, ta vaillance et ton roi.

notes

1. priser : estimer.

2. vers 1835 (Quoi* [...] *endurer) : quelles que soient mes souffrances loin d'elle.

3. ce m'est trop d'heur : c'est un très grand bonheur pour moi.

Au fil du texte

Questions sur l'acte V, scène 7 (pages 148 à 152)

Que s'est-il passé entre-temps ?

1. Qui, de Rodrigue ou de don Sanche, a remporté le duel ?

2. Résumez le malentendu* de la scène 5.

3. Qu'apprend Chimène dans la scène 6 ?

Avez-vous bien lu ?

4. Qui introduit Rodrigue dans cette scène ?

5. Résumez les propos de Rodrigue.

6. Quelle est la position finale de Chimène au sujet de sa vengeance et de son mariage avec Rodrigue ?

7. Que décide finalement le roi au sujet de Rodrigue et de Chimène ?

Étudier la place et la fonction de la scène dans la pièce

8. Pourquoi tous les personnages sont-ils réunis sur scène ?

9. À qui revient la réplique finale de la pièce ?

10. Ce dénouement* est-il tragique* ? Pourquoi ?

Étudier le genre de l'œuvre

Aidez-vous du dossier page 173, pour répondre aux questions suivantes :

11. En quoi ce dénouement justifie-t-il l'appellation de tragi-comédie* ?

malentendu : **erreur d'interprétation pouvant être source de conflit.**

dénouement : **ce qui termine l'action et dénoue l'intrigue au théâtre.**

tragique : **au théâtre, se dit d'une situation dramatique et sans issue provoquant la pitié du spectateur.**

tragi-comédie : **pièce de théâtre dont l'action est romanesque et le dénouement heureux.**

12. L'attitude de Chimène vous semble-t-elle conforme à la bienséance* ?

13. Ce dénouement rend-il certain le mariage de Rodrigue et de Chimène ?

14. Pourquoi, selon vous, les contemporains de Corneille ont-ils critiqué ce dénouement ?

ÉTUDIER LE DISCOURS

15. À partir de quel vers Rodrigue s'adresse-t-il directement à Chimène ?

16. Relevez les tournures impératives dans la tirade* de Rodrigue et justifiez leur emploi.

17. À quel héros de la mythologie Rodrigue se compare-t-il implicitement au vers 1784 ?

18. Pourquoi le vers 1800 est-il placé entre guillemets ?

19. Pourquoi Chimène emploie-t-elle des tournures interrogatives ?

bienséance : règle du théâtre sérieux du XVIIe siècle consistant dans le respect des valeurs morales et religieuses.

tirade : au théâtre, longue suite de vers ou de phrases récitée par un personnage.

champ lexical : ensemble des mots se rapportant à un même thème.

ÉTUDIER LE VOCABULAIRE ET LA GRAMMAIRE

20. Relevez le champ lexical* de la victoire dans la tirade de Rodrigue.

21. Construisez deux phrases de tournure hypothétique, sur le modèle du vers 1800.

22. À quoi sert la conjonction de coordination « *mais* » au vers 1805 ?

23. Remplacez la conjonction « *quoique* » du vers 1816, par un terme équivalent.

24. Relevez et justifiez le mode employé par le roi dans la dernière réplique.

ÉTUDIER L'ÉCRITURE

25. Relevez les hyperboles* des vers 1783-1786.

26. Rapprochez le vers 1803 du vers 963 (acte III, scène 4). Quelle figure de style* retrouvez-vous ?

27. Expliquez l'image du vers 1812.

28. Sur quel rythme faut-il prononcer le vers final ?

MISE EN SCÈNE

29. Faites le schéma de la disposition des personnages sur scène dans ce finale.

30. Si vous deviez mettre en scène *Le Cid*, quel décor et quelle lumière choisiriez-vous pour cette dernière scène ?

figure de style : **procédé d'écriture. Exemple : métaphore, métonymie, anaphore, etc.**

hyperbole : **figure de style qui consiste à exagérer ou amplifier une idée, pour la mettre en relief.**

Retour sur l'œuvre

1. Vérifiez que rien ne vous a échappé en répondant aux questions suivantes.

a) Pourquoi la pièce s'intitule-t-elle *Le Cid* ?
b) Où l'action se déroule-t-elle ?
c) En combien de temps l'action se déroule-t-elle ?
d) Qui est le père de Chimène ?
e) Qui est le père de Rodrigue ?
f) Qui, de don Diègue ou du Comte, provoque la querelle ?
g) Pourquoi Rodrigue doit-il se battre en duel contre le Comte ?
h) Pourquoi le mariage prévu entre Rodrigue et Chimène au début de la pièce n'est-il plus possible ?
i) L'issue de la pièce est-elle heureuse ou tragique ?

2. Vérifiez que rien ne vous a échappé en répondant par vrai ou faux aux propositions suivantes.

	VRAI	FAUX
a) Au début de la pièce, Chimène hésite entre Rodrigue et don Sanche, pour le choix d'un époux.	☐	☐
b) Le Comte est jaloux, car c'est don Diègue que le roi a choisi pour être le gouverneur de son fils.	☐	☐
c) Don Diègue, agacé par le manque de respect du Comte, finit par lui donner une gifle.	☐	☐
d) Le Comte est tué en duel par don Diègue.	☐	☐
e) Rodrigue n'hésite pas une seconde à venger l'honneur de son père.	☐	☐
f) L'Infante est secrètement amoureuse de Rodrigue, mais elle ne peut l'épouser, car il est d'un rang inférieur au sien.	☐	☐

	VRAI	FAUX
g) Rodrigue réussit à mettre en déroute l'armée des Maures en une seule nuit.	☐	☐
h) Chimène accepte d'oublier sa vengeance contre Rodrigue, après la victoire de celui-ci contre les Maures.	☐	☐
i) Le mariage de Chimène et de Rodrigue est célébré à la fin de la pièce.	☐	☐

3. Entourez la bonne réponse.

• *Le Cid* est :
– une tragédie
– une comédie
– un drame romantique
– une tragi-comédie
– une épopée

• Le Cid est le nom donné à Rodrigue par :
– son père
– Chimène
– le roi
– les Maures
– Don Sanche

• Le mot *Cid* signifie :
– vainqueur
– ennemi
– seigneur
– guerrier
– chrétien

4. Retrouvez le bon ordre des propositions pour résumer le texte :

a) Les Maures menacent d'envahir le royaume de Castille.
b) Chimène obtient que Rodrigue se batte en duel contre don Sanche.

c) Rodrigue défie le Comte et le tue en duel.
d) Chimène et Rodrigue s'aiment et doivent se marier.
e) Rodrigue part se battre contre les Maures et remporte la victoire.
f) Don Diègue demande à son fils de le venger.
g) Le roi ordonne le mariage de Rodrigue et de Chimène dans un délai d'un an.
h) Le Comte, père de Chimène, gifle don Diègue, père de Rodrigue.
i) Rodrigue l'emporte sur don Sanche et l'épargne.

5. Complétez le résumé de chaque acte à l'aide de la liste de mots ci-dessous.

ACTE I

mariage – honneur – de Gormas – gouverneur – Rodrigue – un soufflet – furieux et jaloux – dilemme – conseil royal.

Au lever du rideau, Elvire rassure Chimène : le Comte ...... , son père, doit donner son accord afin qu'elle épouse .... Don Diègue, père de Rodrigue, lui présentera sa demande à la sortie du .... où le Comte s'attend à être nommé .... du prince (sc. 1). Pendant ce temps, l'Infante, secrètement amoureuse de Rodrigue qu'elle ne peut épouser à cause de son rang, espère que le .... des deux jeunes gens, qu'elle a favorisé, mettra un terme à ses souffrances (sc. 2). À la sortie du conseil, don Diègue fait sa demande, mais le Comte, ... que le vieil homme lui ait été préféré comme gouverneur du prince, lui donne .... et le désarme (sc. 3). Don Diègue désespéré (sc. 4) transmet son épée à Rodrigue pour venger leur ....(sc. 5). Rodrigue est confronté à un .... tragique, puisqu'il doit choisir entre son honneur et la vie du père de Chimène (sc. 6).

ACTE II

l'embouchure – amiable – son fils – Rodrigue – les Maures (les Mores) – le Comte – l'Infante – Chimène.

Le Comte, après avoir refusé de calmer la querelle par un arrangement......... (sc. 1), rencontre .... qui lui lance son défi au duel (sc. 2). De son côté, ... rassure Chimène : elle retiendra Rodrigue pour l'empêcher de se battre (sc. 3). Le roi ordonne d'arrêter .... et de renforcer la défense du port car .... ont été repérés à .... du fleuve (sc. 6). Mais on apprend que le Comte a été tué (sc. 7). .... vient crier vengeance, tandis que don Diègue plaide pour .... ; le roi fait don Diègue prisonnier sur parole et envoie à la recherche de Rodrigue (sc. 8).

ACTE III

la mort – vengeance officielle – Elvire – d'une troupe – don Sanche – avec tristesse.

Rodrigue se présente chez Chimène où .... l'oblige à se cacher (sc. 1). Chimène rentre suivie de ....qui lui propose de la venger (sc. 2), puis elle avoue à Elvire qu'elle se donnera ....après avoir obtenu la tête de Rodrigue (sc. 3). Ce dernier se montre alors et lui propose de se venger immédiatement, mais Chimène refuse car elle veut une .... (sc. 4). Pendant ce temps, don Diègue cherche son fils partout dans la ville (sc. 5) et finit par le voir, mais Rodrigue l'accueille .... Devant sa détermination à mourir, don Diègue l'envoie combattre les Maures à la tête .... de ses amis (sc. 6).

ACTE IV

duel judiciaire – l'Infante – récit – vainqueur – la victoire – les poursuites – justice – déterminée.

Le lendemain matin, Chimène apprend .... de

Rodrigue sur les Maures (sc. 1), mais reste .... à se venger de lui, malgré les arguments de .... qui lui demande d'abandonner .... contre un héros national (sc. 2). Pendant ce temps, au palais du roi, Rodrigue fait le .... de la nuit de combats contre les Maures (sc. 3). Mais Chimène vient une seconde fois réclamer .... Après avoir fait la preuve de son amour en lui faisant croire que Rodrigue est mort, le roi lui accorde seulement un .... qui opposera Rodrigue à don Sanche et dont le .... devra épouser Chimène (sc. 5).

ACTE V

dans un couvent – passion – seconde – en souvenir – le malentendu – le deuil – vainqueur – sa propre épée – don Sanche.

Rodrigue rend visite pour la .... fois à Chimène et déclare qu'il se laissera tuer par don Sanche, mais elle l'encourage à sortir *« vainqueur d'un combat dont Chimène est le prix »* (sc. 1). L'Infante, toujours malheureuse, décide de s'effacer définitivement au profit de Chimène qui reste partagée entre sa .... pour Rodrigue et la nécessité de vengeance, ... de son père (sc. 4). À ce moment arrive .... portant l'épée de Rodrigue ; Chimène le croit .... et le repousse avec violence (sc. 5). Chez le roi, Chimène avoue publiquement son amour et demande à se retirer .... , plutôt que d'épouser don Sanche, mais celui-ci explique .... : vaincu par Rodrigue qui a épargné sa vie, il venait lui apporter .... de la part du vainqueur. Le roi ordonne à Chimène d'épouser Rodrigue, mais lui accorde un délai d'un an pour faire .... de son père, pendant que Rodrigue ira combattre les Maures (sc. 6 et 7).

Dossier
Bibliocollège

Schéma dramatique

ACTE I	**Exposition** Chimène et Rodrigue doivent se marier. **Action** Le Comte gifle don Diègue. Don Diègue charge Rodrigue de le venger.
ACTE II	**Suite de l'action** Rodrigue tue le Comte en duel. Chimène réclame justice au roi.
ACTE III	**Suite de l'action** Chimène veut venger son père, mais continue d'aimer Rodrigue. Don Diègue envoie Rodrigue repousser l'assaut des Maures qui menacent le royaume de Castille.
ACTE IV	**Suite de l'action** Victoire de Rodrigue sur les Maures. Chimène obtient un duel entre Rodrigue et don Sanche.
ACTE V	**Dénouement** Victoire de Rodrigue sur don Sanche. Le roi donne Chimène en mariage à Rodrigue.

Il était une fois Corneille

Enfance et éducation

C'est à Rouen que Pierre Corneille voit le jour le 6 juin 1606. Il est le fils aîné d'une famille de six enfants et appartient à un milieu d'avocats aisés et économes. À neuf ans, il est placé dans une école tenue par des jésuites (religieux de la Compagnie de Jésus) où l'enseignement est fondé sur l'étude du latin. Le petit Corneille se distingue par ses brillants résultats, notamment en composition latine où il reçoit deux premiers prix. Les jésuites sont renommés pour leur goût du théâtre et c'est sans doute au cours de ces années d'école que Corneille se familiarise avec cet art. Il est probable qu'il joue lui-même dans des pièces latines écrites ou montées par des professeurs. Cependant, Corneille se passionne pour la littérature et commence à composer des vers qu'il dédie à son premier amour, une jeune Rouennaise plus fortunée qu'il ne pourra épouser, Catherine Hue. Corneille hésite entre la carrière d'auteur de théâtre et celle d'avocat, mais sa famille le pousse à passer une licence en droit et lui achète deux charges d'avocat du roi (fonctions qui se vendaient et s'achetaient) : nous sommes en 1628.

Dates clés

6 juin 1606 : naissance de Pierre Corneille.

1628 : La famille de Corneille lui achète des charges d'avocat du roi.

1629 : sa première pièce, *Mélite*, est donnée à Paris.

Le succès à vingt-trois ans !

Mais Corneille n'abandonne pas l'idée d'écrire pour le théâtre. En 1629, il confie sa première comédie, *Mélite*, à une troupe itinérante qui emporte la pièce à Paris pour la représenter au célèbre Théâtre du Marais.

Le Grand Corneille accueilli sur la scène du théâtre par le Grand Condé.

Le succès est tel, que l'on parle de Corneille à la cour du roi. Corneille écrit alors une comédie pour chaque saison théâtrale, toujours applaudie par le public.
En 1635, le puissant ministre de Louis XIII, Richelieu, lui-même passionné de théâtre, lui demande de se joindre à la « société des cinq auteurs », chargés d'illustrer le théâtre français.

Le triomphe et les tracas

En 1637, Corneille fait jouer la tragi-comédie du *Cid*, qui marque une date importante de l'histoire du théâtre en France. L'enthousiasme du public est tel, que le Théâtre du Marais ne désemplit pas pendant plusieurs mois et que le roi va jusqu'à donner un titre de noblesse au père du poète. Mais les rivaux de Corneille, jaloux d'un tel succès, déclenchent la Querelle du *Cid* en attaquant la pièce et en accusant son auteur d'avoir copié un modèle espagnol. Corneille se défend avec énergie, jusqu'à ce que Richelieu mette un terme au débat. Corneille, blessé par cette querelle, n'écrit plus jusqu'en 1640.

Dates clés

1637 : succès retentissant du *Cid* qui entraîne la Querelle.

1640 : *Horace*.

La reconnaissance et les responsabilités

Dans les années 1640, Corneille se lance dans la tragédie, genre sérieux qui plaît au public. Il compose *Horace*, *Cinna*, *Polyeucte*, accueillis avec succès. Corneille jouit désormais d'une reconnaissance définitive. En 1641, à l'âge de trente-cinq ans, il épouse Marie de Lampérière, avec laquelle il aura sept enfants.

Cependant, la mort de Richelieu, puis celle de Louis XIII l'obligent à chercher d'autres protecteurs. Le nouveau ministre Mazarin lui accorde une pension. Reconnu comme le plus grand auteur de théâtre de son temps, Corneille est élu à l'Académie en 1647.
Entre 1648 et 1652, la France connaît une période troublée durant laquelle les nobles se révoltent contre le pouvoir royal : c'est la Fronde. Perturbée par les événements, la carrière littéraire de Corneille subit quelques revers. Il décide de s'isoler en se consacrant à la traduction d'une œuvre religieuse latine, *L'Imitation de Jésus Christ*, qui sera un grand succès de librairie.

Dates clés

1647 :
Corneille est élu à l'Académie française.

1648-1656 :
troubles de la Fronde et retrait de Corneille.

1667 :
début de la rivalité avec Racine.

1674 :
dernière tragédie, *Suréna*.

Gloire et déclin du « Prince des auteurs »

Corneille revient cependant au théâtre à partir de 1656, en acceptant la commande d'une tragédie à grand spectacle, *La Conquête de la toison d'or*. En 1659, *Œdipe*, tragédie écrite à la demande du ministre des finances de Louis XIV, Fouquet, remporte un grand succès. Corneille connaît alors une période intense de vie littéraire et mondaine, obtient la protection de Louis XIV lui-même, fait la rencontre de Molière, enchaîne les tragédies, et fait publier, dans une édition luxueuse réservée aux grands classiques, l'ensemble de son théâtre.
Cependant, à partir de 1667, la suprématie du « Grand Corneille » est progressivement concurrencée par des auteurs plus jeunes, comme Molière, et surtout Racine dont la gloire montante fait de l'ombre à son illustre prédécesseur. En 1674, sa dernière tragédie, *Suréna*, est accueillie froidement. Désormais vieilli et démodé,

Corneille n'écrit plus beaucoup pour le théâtre, mais en 1676 le roi lui rend hommage en faisant représenter ses pièces à Versailles. Corneille continue toutefois à revoir ses textes et il publie, en 1682, une dernière édition de son œuvre complète qui compte trente-trois pièces de théâtre.
Le 1er octobre 1684, Corneille meurt à Paris à l'âge de soixante-dix-huit ans. Racine prononce à l'Académie un discours élogieux en l'honneur du grand dramaturge.

Dates clés

1er octobre 1684 : mort de Corneille.

Corneille, un auteur de théâtre du XVIIe siècle

Ce qui se passait en 1636

Le Cid porte la trace de plusieurs événements contemporains.

En politique étrangère, la France est en guerre contre l'Espagne depuis 1635. Au printemps 1636, au moment où Corneille écrit le *Cid*, les Espagnols envahissent la France par le nord (les Flandres appartenaient alors au royaume d'Espagne) et se trouvent à seulement cent kilomètres de Paris. Cet événement provoque un immense émoi dans la population. Richelieu, alors ministre de Louis XIII, ordonne une contre-attaque efficace qui met l'ennemi en fuite et la capitale à l'abri. L'assaut des Maures vaillament repoussé par Rodrigue doit certainement quelque chose à cet épisode de l'histoire récente.

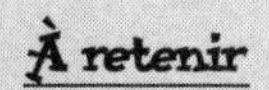

***Le Cid* :**
Cette pièce reflète les événements de son temps :
– la guerre contre l'Espagne,
– l'interdiction du duel,
– le conflit entre Richelieu et la noblesse.

À la même époque, l'usage du duel, très répandu parmi la noblesse pour régler les litiges, est un véritable problème, car non seulement l'État y perd ses plus valeureux combattants, mais la justice royale est affaiblie par cette forme féodale de vengeance. C'est pourquoi Richelieu tâche d'y mettre un terme par plusieurs lois auxquelles les nobles ne se plient pas toujours.

Les deux duels du *Cid*, opposant Rodrigue au Comte (acte II, scène 2) puis à don Sanche (acte V), ainsi que les discours du roi don Fernand, sont l'écho de ces conflits contemporains.

Le duel n'est pas le seul motif d'opposition entre le

pouvoir royal et la noblesse. Richelieu tente, par tous les moyens, de soumettre l'aristocratie à l'autorité du roi. L'époque du *Cid* correspond précisément à ce tournant de l'histoire où le pouvoir monarchique se renforce au détriment de la grande noblesse, peu à peu privée de ses droits féodaux : on assiste à la naissance de la monarchie absolue, incarnée plus tard par Louis XIV. Dans *Le Cid*, le personnage du Comte représente cette noblesse orgueilleuse et insoumise, tandis que Rodrigue se comporte en sujet fidèle et obéissant ; quant au dernier mot, il revient au roi don Fernand, chargé de faire régner l'ordre et la justice.

Les origines du Cid

Corneille n'est pas le premier écrivain à s'inspirer de l'histoire du Cid, personnage historique qui a vécu en Espagne au XIe siècle et qui est entré dans la légende, grâce à ses exploits dans la défense du pays contre les Maures. Le chevalier Rodrigo Diaz de Vivar, surnommé le *Cid Campeador* (« le seigneur qui gagne les batailles ») a donc bel et bien existé, et l'histoire de ses combats et de son mariage avec sa cousine Jimena a été illustrée par de nombreuses œuvres, jusqu'à l'époque de Corneille. Peu à peu, le personnage historique est devenu une figure mythique à laquelle la tradition a prêté des aventures extraordinaires. C'est le dramaturge espagnol Guilhem de Castro qui a le premier rassemblé ces récits dans une œuvre unique, intitulée *Las Mocedades del Cid* (« La Jeunesse du Cid »), en 1621. Il s'agit d'une longue *comedia*, genre populaire qui mélange les tons et accumule les événements.

À retenir

Origines de la pièce : Le Cid est un personnage qui a vécu au XIe siècle en Espagne, mais qui est progressivement entré dans la légende.

Sources de Corneille Corneille s'est inspiré d'une pièce de l'auteur espagnol Guilhem de Castro, parue en 1621.

Duel au XVIe siècle. Lithographie de Deveria.

Corneille s'inspire de la pièce de Guilhem de Castro pour composer son propre *Cid*, en simplifiant beaucoup l'intrigue par rapport au modèle espagnol. Cela lui permet d'adapter la pièce aux règles du théâtre et au goût français.

La Querelle du Cid (février-décembre 1637)

Peu de temps après les premières représentations de la pièce, plusieurs auteurs de théâtre, jaloux du succès exceptionnel de Corneille et exaspérés par son manque de modestie, lancent des attaques écrites contre l'auteur et son œuvre. Mairet, dans *L'Auteur du vrai Cid espagnol*, accuse Corneille d'avoir plagié la pièce de Guilhem de Castro. Scudéry, l'ennemi le plus acharné de Corneille, publie des *Observations sur le Cid* où il déclare :

> « Que le sujet n'en vaut rien du tout,
> Qu'il choque les principales règles du poème dramatique,
> Qu'il manque de jugement en sa conduite,
> Que presque tout ce qu'il a de beautés sont dérobées. »

Scudéry relève méticuleusement tous les défauts de la pièce, attaque son invraisemblance et son manque de rigueur par rapport aux règles de la tragédie. Corneille refuse de s'engager dans un débat sur les règles et préfère s'en remettre au jugement de l'Académie, chargée par Richelieu de trancher dans la Querelle. En décembre 1637, l'Académie publie son verdict : elle reconnaît le talent de Corneille, mais donne raison à ses ennemis sur la question des règles et de la

À retenir

La Querelle du *Cid* (1637) : c'est une date majeure de l'histoire du théâtre. Elle marque le passage du baroque au classicisme.

vraisemblance. Pour elle, il n'est pas acceptable que Chimène finisse par épouser l'assassin de son père. Corneille est très déçu par cet arbitrage et il restera profondément marqué par la Querelle. Sans renier jamais les principes défendus dans le *Cid*, il en corrigera certains défauts, mais il produira surtout dans les années suivantes des tragédies parfaitement conformes aux règles classiques, telles *Horace* et *Cinna*.
La Querelle du *Cid* est un événement important dans l'histoire du théâtre car elle marque la transition de la tragi-comédie vers la tragédie, et témoigne du passage de l'art baroque, tourmenté et fantaisiste, à l'art classique dominé par les règles et la mesure.

Le Cid, tragi-comédie ou tragédie ?

Avec *Le Cid*, Corneille a écrit une tragi-comédie mais quelques années plus tard, il rebaptise sa pièce tragédie. Pourquoi ce changement ? Comment la tragédie est-elle devenue le genre préféré du public ? C'est ce que nous allons voir maintenant.

Les goûts du public

Au début du XVIIe siècle, le théâtre de cour connaît deux grands genres, la tragi-comédie et la tragédie. Ces genres obéissent à des règles que les auteurs suivent avec plus ou moins de liberté. L'art de cette époque, appelé art baroque, privilégie le mouvement, la fantaisie, l'invraisemblance ; c'est pourquoi au théâtre, le public apprécie particulièrement **la tragi-comédie** avec ses intrigues compliquées, ses péripéties qui font rire et pleurer et son dénouement heureux. La tragi-comédie a essentiellement un rôle de divertissement.
Mais peu à peu, avec l'évolution vers l'art classique, dominé par la raison, **la tragédie** est valorisée comme le genre par excellence, le seul digne de la noblesse et des rois dont elle doit représenter les exploits.
Contrairement à la tragi-comédie, la tragédie ne mélange pas les tons et elle ne doit pas faire rire. Son sujet est toujours sérieux, emprunté à l'histoire antique ou au mythe, et elle met en scène des héros. La tragédie doit aussi montrer des situations dramatiques où les personnages se débattent contre un destin rigoureux,

À retenir

Art baroque et art classique : La tragi-comédie est représentative de l'art baroque, tandis que la tragédie appartient à l'art classique.

La tragi-comédie : elle mélange les tons, accumule les péripéties extraordinaires et se termine bien.

La tragédie : c'est une pièce sérieuse représentant des héros en lutte contre le destin. Sa fin est malheureuse.

Le théâtre classique : il obéit à des règles strictes : règle des trois unités (temps ; lieu, action), règles de la vraisemblance et de la bienséance.

souvent synonyme de mort et de dénouement malheureux. Le spectacle de la tragédie doit provoquer chez le spectateur des sentiments de crainte et de pitié, par l'exposé des passions humaines.
La tragédie est aussi présentée comme un genre plus difficile, obéissant à des règles très strictes que des auteurs se chargent de fixer à partir de 1630.

Les règles du théâtre classique

• La règle des trois unités

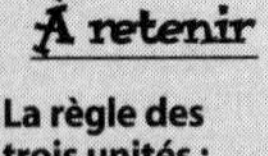

À retenir

La règle des trois unités : unité de temps, unité de lieu, unité d'action.

Cette règle exige que la pièce obéisse à l'unité de temps, de lieu et d'action :
– **L'unité de temps :** l'ensemble de l'action doit pouvoir tenir entre le lever et le coucher du soleil ou, au maximum, en vingt-quatre heures. Cette règle, très contraignante pour les auteurs, doit donner l'illusion au spectateur d'assister aux événements comme s'ils se déroulaient en temps réel. L'action du *Cid* se déroule bien en vingt-quatre heures, mais cette règle oblige Corneille à accumuler de manière invraisemblable des événements qui s'étendaient sur trois ans dans la pièce de Guilhem de Castro. On a du mal à croire en effet que Rodrigue puisse remporter deux duels et défaire une armée en si peu de temps !
– **L'unité de lieu :** l'action doit se dérouler en un seul lieu, figuré par un décor unique, afin d'éviter de distraire l'attention du spectateur. Cette règle doit permettre au public de se concentrer sur la psychologie des personnages. La tragédie classique choisit donc souvent pour décor un lieu neutre comme une salle de palais. En cela *Le Cid* est bien une tragi-comédie, car Corneille y

multiplie les lieux de l'action : la scène se situe tour à tour chez Chimène, chez l'Infante, dans le palais du roi et sur la place publique.

– **L'unité d'action :** elle oblige l'auteur à centrer la pièce sur une intrigue unique concernant un petit nombre de personnages. Cette règle doit permettre d'éviter la confusion et la multiplication des événements reprochées à la tragi-comédie. C'est au nom de cette règle que les ennemis du *Cid* ont condamné les intrigues parallèles concernant l'Infante, don Sanche et l'attaque des Maures. Pour eux, Corneille aurait dû limiter l'intrigue au conflit opposant Rodrigue à Chimène.

• **La vraisemblance**

La vraisemblance ou le vraisemblable est un fondement essentiel du théâtre classique, en train de naître à l'époque du *Cid*. Selon ce principe, la tragédie doit tenter d'imiter une situation qui a existé ou qui aurait pu exister. Si la réalité d'un événement passé paraît extraordinaire pour un spectateur du XVIIe siècle, l'auteur doit préférer une situation inventée mais crédible. C'est grâce au vraisemblable, dont découle la règle des trois unités, que le spectateur aura l'impression d'assister à une « action véritable » et non à une fiction de théâtre.

Le principal reproche adressé au *Cid* au moment de la Querelle concernait la question de la vraisemblance car ni l'action ni son dénouement ne semblaient crédibles.

• **La bienséance**

Cette règle impose d'éviter de montrer sur scène les situations pouvant choquer le public : les batailles sanglantes, les duels, et toute forme de violence. La bienséance impose aussi de respecter la morale et la religion. Les auteurs font donc rapporter les événements violents par un personnage qui en a été le témoin, sous la forme d'un récit. C'est ainsi que, dans *Le Cid*, les duels n'ont jamais lieu sur scène et que Rodrigue fait, après coup, le récit détaillé de la bataille contre les Maures. En revanche, on a reproché à Corneille d'avoir montré le soufflet donné à don Diègue, ainsi que les deux visites de Rodrigue à Chimène, jugées immorales dans le contexte de la mort du Comte, père de la jeune fille.

Le Cid, une tragi-comédie...

À retenir

Le genre du *Cid* : *Le Cid* est une pièce à mi-chemin de la tragi-comédie et de la tragédie.

Dans la première édition du *Cid*, datée de 1637, Corneille appelle sa pièce tragi-comédie. Au moment de la Querelle toutefois, ses ennemis l'accusent de n'avoir pas produit une bonne tragédie. En réalité, Corneille fait avec *Le Cid* l'apprentissage de la tragédie, considérée comme le genre le plus prestigieux, la forme théâtrale parfaite. La difficulté de Corneille était d'adapter un sujet de tragi-comédie comme celui du *Cid* à la forme stricte de la tragédie, d'où l'hésitation entre les deux genres. De plus, au moment où Corneille écrit *Le Cid*, les règles de la tragédie viennent à peine de se fixer ; c'est en partie grâce à la Querelle du *Cid* que ces règles seront mieux connues et Corneille, le premier, en profitera par la suite pour produire des pièces parfaitement conformes aux lois du genre. C'est donc parce qu'il a conscience de la supériorité de la tragédie dans l'esprit de ses contemporains que Corneille défend sa pièce en tant que tragédie.
De la tragi-comédie, *Le Cid* conserve cependant plusieurs caractéristiques :

– l'accumulation des événements : le projet de mariage, les duels, l'invasion des Maures ;
– les coups de théâtre : le soufflet, les visites de Rodrigue à Chimène, les fausses alertes au sujet de la mort de Rodrigue ;
– les changements de décors successifs en fonction du lieu de l'action ;
– un dénouement heureux : le mariage de Rodrigue et de Chimène.

... QUI VEUT RESSEMBLER À UNE TRAGÉDIE

Dans l'édition du *Cid* de 1648, Corneille a rebaptisé sa pièce « tragédie », ce qui constitue la meilleure preuve de la supériorité de ce genre pour les spectateurs raffinés du XVIIe siècle. Richelieu lui-même, passionné de théâtre et auteur de sujets qu'il proposait aux dramaturges, donne l'avantage à la tragédie, car il la considère comme le genre approprié à la noblesse instruite de la cour ; tandis que les autres genres (farce, comédie, tragi-comédie) s'adressent au peuple ou à la bourgeoisie dont ils représentent les goûts ou les aspirations.
Tout cela explique que Corneille, dans les éditions ultérieures de l'œuvre, ait tenu compte de certaines critiques pour améliorer le *Cid* de telle sorte qu'il soit plus conforme aux règles de la tragédie.

Le Cid, tragi-comédie ou tragédie ?

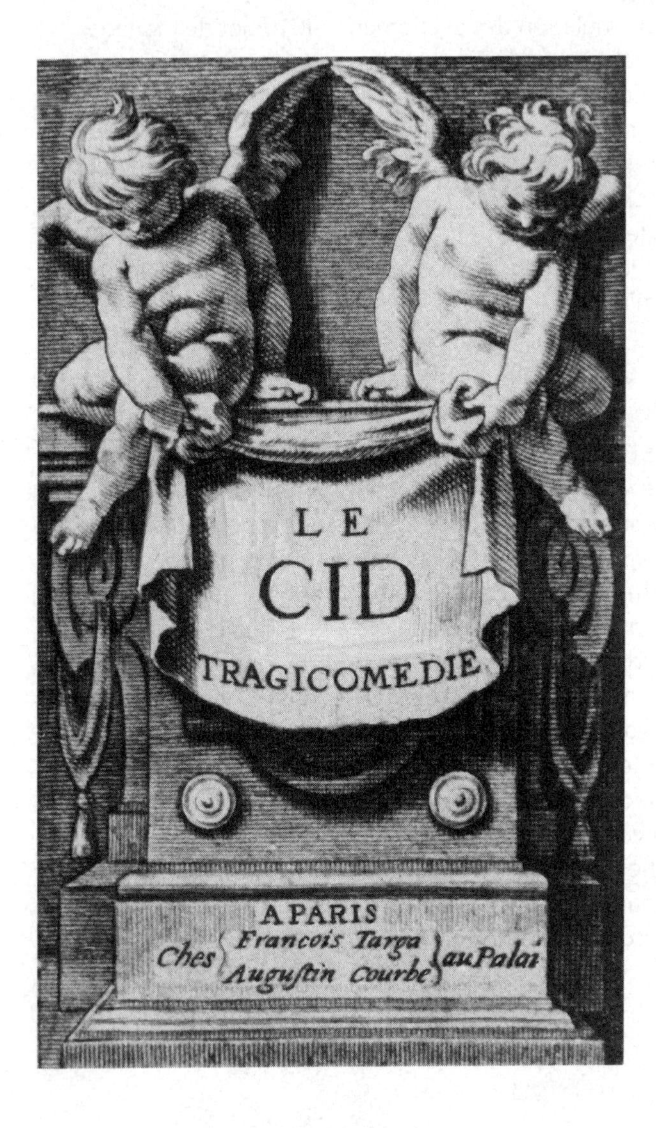

Groupement de textes :

Amour de théâtre, amour impossible

« *Il n'y a pas d'amour heureux* », écrivait Aragon. Au théâtre en tout cas, plus encore que dans les romans, l'amour semble voué à l'échec ou au malheur. De la tragédie classique au théâtre contemporain, en passant par le drame romantique, le thème de l'amour impossible a inspiré quelques-unes des œuvres parmi les plus belles du répertoire théâtral.
Souvent au cœur de la pièce, l'intrigue amoureuse met en scène une relation impossible, soit à cause d'obstacles extérieurs – comme dans le cas de Rodrigue et de Chimène – soit à cause des propres contradictions des personnages. Le thème de l'amour contrarié est une source d'émotion et d'intérêt pour le spectateur, car il permet de sonder la psychologie des personnages, tout en donnant matière aux épanchements poétiques.

Bérénice

Représentée pour la première fois le 21 novembre 1670 à l'Hôtel de Bourgogne, *Bérénice* est une tragédie dont le thème est emprunté à l'histoire romaine : « Titus, qui aimait passionnément Bérénice, et qui même, à ce qu'on croyait, lui avait promis de l'épouser, la renvoya de Rome, malgré lui et malgré elle, dès les premiers jours de son empire. » En effet, l'amour des deux héros est contrarié par les lois romaines qui interdisent à l'empereur d'épouser une étrangère, or, Bérénice est la reine de Palestine. La raison d'État l'emporte sur la passion de Titus qui, après de cruelles hésitations, a fait annoncer la nouvelle de la séparation à Bérénice.

ACTE IV, Scène 5. TITUS, BÉRÉNICE

TITUS
Je sais tous les tourments où ce dessein me livre,
Je sens bien que sans vous je ne saurais plus vivre,
Que mon cœur de moi-même est prêt à s'éloigner,
Mais il ne s'agit plus de vivre, il faut régner.

BÉRÉNICE
Eh bien ! régnez, cruel ; contentez votre gloire :
Je ne dispute plus. J'attendais, pour vous croire,
Que cette même bouche, après mille serments
D'un amour qui devait unir tous nos moments,
Cette bouche, à mes yeux s'avouant infidèle,
M'ordonnât elle-même une absence éternelle.
Moi-même j'ai voulu vous entendre en ce lieu.
Je n'écoute plus rien, et pour jamais : adieu...
Pour jamais ! Ah, Seigneur ! songez-vous en vous-même
Combien ce mot cruel est affreux quand on aime ?
Dans un mois, dans un an, comment souffrirons-nous,
Seigneur, que tant de mers me séparent de vous ?
Que le jour recommence et que le jour finisse,
Sans que jamais Titus puisse voir Bérénice,
Sans que de tout le jour je puisse voir Titus ?
Mais quelle est mon erreur, et que de soins perdus !
L'ingrat, de mon départ consolé par avance,
Daignera-t-il compter les jours de mon absence ?
Ces jours si longs pour moi lui sembleront trop courts.

TITUS
Je n'aurai pas, Madame, à compter tant de jours.
J'espère que bientôt la triste Renommée
Vous fera confesser que vous étiez aimée.
Vous verrez que Titus n'a pu, sans expirer...

BÉRÉNICE
Ah ! Seigneur, s'il est vrai, pourquoi nous séparer ?
Je ne vous parle point d'un heureux hyménée ;
Rome à ne plus vous voir m'a-t-elle condamnée ?
Pourquoi m'enviez-vous l'air que vous respirez ?

TITUS
Hélas ! vous pouvez tout, Madame : demeurez,
Je n'y résiste point. Mais je sens ma faiblesse :
Il faudra vous combattre et vous craindre sans cesse,
Et sans cesse veiller à retenir mes pas,
Que vers vous à toute heure entraînent vos appas.
Que dis-je ? En ce moment mon cœur, hors de lui-même,
S'oublie, et se souvient seulement qu'il vous aime.

BÉRÉNICE
Eh bien, Seigneur, eh bien ! qu'en peut-il arriver ?
Voyez-vous les Romains prêts à se soulever ?

TITUS
Et qui sait de quel œil ils prendront cette injure ?
S'ils parlent, si les cris succèdent au murmure,
Faudra-t-il par le sang justifier mon choix ?
S'ils se taisent, Madame, et me vendent leurs lois,
À quoi m'exposez-vous ? Par quelle complaisance
Faudra-t-il quelque jour payer leur patience ?
Que n'oseront-ils point alors me demander ?
Maintiendrai-je des lois que je ne puis garder ?

BÉRÉNICE
Vous ne comptez pour rien les pleurs de Bérénice !

TITUS
Je les compte pour rien ? Ah ciel ! quelle injustice !

BÉRÉNICE
Quoi ? pour d'injustes lois que vous pouvez changer,
En d'éternels chagrins vous-même vous plonger ?
Rome a ses droits, Seigneur : n'avez-vous pas les vôtres ?
Ses intérêts sont-ils plus sacrés que les nôtres ?
Dites, parlez.

TITUS
Hélas ! que vous me déchirez !

BÉRÉNICE
Vous êtes empereur, Seigneur, et vous pleurez !

Racine, *Bérénice*, acte IV, scène 5, (extrait),
coll. « Classiques Hachette », Hachette Livre.

HERNANI

Hernani est un drame romantique aux accents cornéliens, représenté pour la première fois le 25 février 1830 et dont l'action se situe dans l'Espagne du XVIe siècle, à la veille de l'élection de don Carlos au trône d'empereur sous le nom de Charles-Quint. Hernani, noble proscrit en rébellion contre le roi, et Doña Sol, jeune fille de la cour, s'aiment passionnément. Mais Doña Sol est promise au vieux Ruy Gomez et le roi don Carlos lui-même est amoureux d'elle. Au début de la pièce les deux amants, qui se retrouvent toutes les nuits, se jurent leur amour et projettent de s'enfuir, sans savoir que don Carlos les épie, caché dans une armoire.

ACTE I, Scène 2. HERNANI, DOÑA SOL

HERNANI
Écoutez, l'homme auquel, jeune, on vous destina,
Ruy de Silva, votre oncle, est duc de Pastraña,
Richomme d'Aragon, comte et grand de Castille.
À défaut de jeunesse, il peut, ô jeune fille,
Vous apporter tant d'or, de bijoux, de joyaux,
Que votre front reluise entre des fronts royaux,
Et pour le rang, l'orgueil, la gloire et la richesse,
Mainte reine peut-être envîra sa duchesse.
Voilà donc ce qu'il est. Moi, je suis pauvre, et n'eus,
Tout enfant, que les bois où je fuyais pieds nus.
Peut-être aurai-je aussi quelque blason illustre,
Qu'une rouille de sang à cette heure délustre ;
Peut-être ai-je des droits, dans l'ombre ensevelis,
Qu'un drap d'échafaud noir cache encor sous ses plis,
Et qui, si mon attente un jour n'est trompée,
Pourront de ce fourreau sortir avec l'épée.
En attendant, je n'ai reçu du ciel jaloux
Que l'air, le jour et l'eau, la dot qu'il donne à tous.
Or du duc ou de moi souffrez qu'on vous délivre.
Il faut choisir des deux, l'épouser, ou me suivre.

DOÑA SOL
Je vous suivrai.

HERNANI
Parmi mes rudes compagnons ?
Proscrits dont le bourreau sait d'avance les noms,
Gens dont jamais le fer ni le cœur ne s'émousse,
Ayant tous quelque sang à venger qui les pousse ?
Vous viendrez commander ma bande, comme on dit ?
Car, vous ne savez pas, moi, je suis un bandit !
Quand tout me poursuivait dans toutes les Espagnes,
Seule, dans ses forêts, dans ses hautes montagnes,
Dans ses rocs où l'on n'est que de l'aigle aperçu,
La vieille Catalogne en mère m'a reçu.
Parmi les montagnards, libres, pauvres, et graves,
Je grandis, et demain trois mille de ses braves,
Si ma voix dans leurs monts fait résonner ce cor,
Viendront... Vous frissonnez. Réfléchissez encor.
Me suivre dans les bois, dans les monts, sur les grèves,
Chez des hommes pareils aux démons de vos rêves,
Soupçonner tout, les yeux, les voix, les pas, le bruit,
Dormir sur l'herbe, boire au torrent, et la nuit
Entendre, en allaitant quelque enfant qui s'éveille,
Les balles des mousquets siffler à votre oreille,
Être errante avec moi, proscrite, et, s'il le faut,
Me suivre où je suivrai mon père, – à l'échafaud.

DOÑA SOL
Je vous suivrai.

HERNANI
Le duc est riche, grand, prospère.
Le duc n'a pas de tache au vieux nom de son père.
Le duc peut tout. Le duc vous offre avec sa main
Trésors, titres, bonheur...

DOÑA SOL
Nous partirons demain.
Hernani, n'allez pas sur mon audace étrange
Me blâmer. Êtes-vous mon démon ou mon ange ?
Je ne sais, mais je suis votre esclave. Écoutez,
Allez où vous voudrez, j'irai. Restez, partez,

Je suis à vous. Pourquoi fais-je ainsi ? Je l'ignore.
J'ai besoin de vous voir et de vous voir encore
Et de vous voir toujours. Quand le bruit de vos pas
S'efface, alors je crois que mon cœur ne bat pas,
Vous me manquez, je suis absente de moi-même ;
Mais dès qu'enfin ce pas que j'attends et que j'aime
Vient frapper mon oreille, alors il me souvient
Que je vis, et je sens mon âme qui revient !

Victor Hugo, *Hernani*, acte I, scène 2, coll. « Classique Hachette », Hachette Livre.

Cyrano de Bergerac

Cette « comédie héroïque en vers », jouée pour la première fois en décembre 1897, met en scène un personnage réel, ayant vécu au XVIIe siècle, Cyrano de Bergerac. Poète méconnu et militaire de carrière, Cyrano est secrètement amoureux de sa cousine Roxane ; mais un nez gigantesque qui déforme son visage l'empêche de déclarer son amour. Cependant, Roxane et le beau Christian, jeune soldat fraîchement débarqué dans la compagnie de Cyrano, tombent amoureux l'un de l'autre. Mais Christian n'a pas suffisamment d'esprit pour parler d'amour à la jolie précieuse. Cyrano se substitue alors à lui et peut enfin, sous une autre identité, déclarer sa flamme à Roxane.

ACTE III, Scène 7. ROXANE, CYRANO, CHRISTIAN

ROXANE

Eh bien ! si ce moment est venu pour nous deux,
Quels mots me direz-vous ?

CYRANO

Tous ceux, tous ceux, tous ceux
Qui me viendront, je vais vous les jeter, en touffe,
Sans les mettre en bouquet : je vous aime, j'étouffe,
Je t'aime, je suis fou, je n'en peux plus, c'est trop ;
Ton nom est dans mon cœur comme dans un grelot,
Et comme tout le temps, Roxane, je frissonne,
Tout le temps, le grelot s'agite, et le nom sonne !

De toi, je me souviens de tout, j'ai tout aimé :
Je sais que l'an dernier, un jour, le douze mai,
Pour sortir le matin tu changeas de coiffure !
J'ai tellement pris pour clarté ta chevelure
Que comme lorsqu'on a trop fixé le soleil,
On voit sur toute chose ensuite un rond vermeil,
Sur tout, quand j'ai quitté les feux dont tu m'inondes,
Mon regard ébloui pose des taches blondes !

ROXANE, *d'une voix troublée.*
Oui, c'est bien de l'amour…

CYRANO

Certes, ce sentiment
Qui m'envahit, terrible et jaloux, c'est vraiment
De l'amour, il en a toute la fureur triste !
De l'amour, – et pourtant il n'est pas égoïste !
Ah ! que pour ton bonheur je donnerais le mien,
Quand même tu devrais n'en savoir jamais rien,
S'il se pouvait, parfois, que de loin, j'entendisse
Rire un peu le bonheur né de mon sacrifice !
– Chaque regard de toi suscite une vertu
Nouvelle, une vaillance en moi ! Commences-tu
À comprendre, à présent ? voyons, te rends-tu compte ?
Sens-tu mon âme, un peu, dans cette ombre, qui monte ?…
Oh ! mais vraiment, ce soir, c'est trop beau, c'est trop doux !
Je vous dis tout cela, vous m'écoutez, moi, vous !
C'est trop ! Dans mon espoir même le moins modeste.
Je n'ai jamais espéré tant ! Il ne me reste
Qu'à mourir maintenant ! C'est à cause des mots
Que je dis qu'elle tremble entre les bleus rameaux !
Car vous tremblez, comme une feuille entre les feuilles !
Car tu trembles ! car j'ai senti, que tu le veuilles
Ou non, le tremblement adoré de ta main
Descendre tout le long des branches du jasmin !
(Il baise éperdument l'extrémité d'une branche pendante.)

ROXANE
Oui, je tremble, et je pleure, et je t'aime, et suis tienne !
Et tu m'as enivrée !

CYRANO

Alors, que la mort vienne !
Cette ivresse, c'est moi, moi, qui l'ai su causer !
Je ne demande plus qu'une chose…

CHRISTIAN, *sous le balcon.*

Un baiser !

Edmond Rostand, *Cyrano de Bergerac*, acte III, scène 7,
coll. « Classiques Hachette », Hachette Livre.

MARIUS

Pièce en quatre actes représentée pour la première fois à Paris le 9 mars 1929, Marius décrit le milieu marseillais du début du siècle, à travers des personnages attachants et authentiques. Sur le vieux port de Marseille, Fanny, la petite marchande de coquillages, aime Marius, serveur au bar de la Marine, mais Marius rêve de voyages lointains…

ACTE II, Scène 5. FANNY, MARIUS

FANNY

Alors, dis-moi que je ne suis pas assez jolie, ou pas assez riche… Enfin, donne-moi une raison, et je ne t'en parlerai jamais plus.

MARIUS

Si je te le disais, tu ne comprendrais pas, et peut-être tu le répéterais, parce que tu croirais que c'est pour mon bien.

FANNY

Dis-moi ton secret, et je te jure devant Dieu que personne ne le saura jamais !…

MARIUS

Fanny, je ne veux pas rester derrière ce comptoir toute ma vie à rattraper la dernière goutte ou à calculer le quatrième tiers pendant que les bateaux m'appellent sur la mer.

FANNY *(Elle pousse un soupir. Elle est presque rassurée.)*

Ah bon ! C'est Piquoiseau qui t'a monté la tête ?

MARIUS

Non… Il y a longtemps que cette envie m'a pris… Bien avant

qu'il vienne... J'avais peut-être dix-sept ans... et un matin, là, devant le bar, un grand voilier s'est amarré... C'était un trois-mâts franc qui apportait du bois des Antilles, du bois noir dehors et doré dedans, qui sentait le camphre et le poivre. Il arrivait d'un archipel qui s'appelait les Îles Sous le Vent... J'ai bavardé avec les hommes de l'équipage quand ils venaient s'asseoir ici ; ils m'ont parlé de leur pays, ils m'ont fait boire du rhum de là-bas, du rhum qui était très doux et très poivré. Et puis un soir, ils sont partis. Je suis allé sur la jetée, j'ai regardé le beau trois-mâts qui s'en allait... Il est parti contre le soleil, il est allé aux Îles Sous le Vent... Et c'est ce jour-là que ça m'a pris.

FANNY
Marius, dis-moi la vérité : il y avait une femme sur ce bateau et c'est elle que tu veux revoir ?

MARIUS
Mais non ! Tu vois, tu ne peux pas comprendre.

FANNY
Alors ce sont ces îles que tu veux connaître ?

MARIUS
Les Îles Sous le Vent ? J'aimerais mieux ne jamais y aller pour qu'elles restent comme je les ai faites. Mais j'ai envie d'ailleurs, voilà ce qu'il faut dire. C'est une chose bête, une idée qui ne s'explique pas. J'ai envie d'ailleurs.

FANNY
Et c'est pour cette envie que tu veux me quitter ?

MARIUS
Ne dis pas que « je veux », parce que ce n'est pas moi qui commande... Lorsque je vais sur la jetée, et que je regarde le bout du ciel, je suis déjà de l'autre côté. Si je vois un bateau sur la mer, je le sens qui me tire comme avec une corde. Ça me serre les côtes, je ne sais plus où je suis... Toi, quand nous sommes montés sur le Pont Transbordeur, tu n'osais pas regarder en bas... Tu avais le vertige, il te semblait que tu allais tomber. Eh bien moi, quand je vois un bateau qui s'en va, je tombe vers lui...

Marcel Pagnol, *Marius*, Éditions de Fallois, 1988, pp. 140-142.

Antigone

Inspirée des tragédies de l'Antiquité, *Antigone* d'Anouilh a été représentée pour la première fois le 4 février 1944 à Paris. Fidèle à la pièce de Sophocle, mais écrite dans un style moderne, la tragédie relate l'histoire de la fille d'Œdipe, Antigone. Après la mort d'Étéocle et de Polynice, qui se sont entre-tués pour le pouvoir, Créon, le nouveau roi et oncle d'Antigone, a fait enterrer Étéocle mais a ordonné que le corps de Polynice, le mauvais frère, soit laissé sans sépulture : « *Quiconque osera lui rendre les devoirs funèbres sera impitoyablement puni de mort* ». Mais Antigone a décidé de braver la loi et d'enterrer son frère. Certaine de mourir, elle fait ses adieux à son fiancé Hémon, le fils de Créon.

HÉMON, ANTIGONE

HÉMON

Qu'est-ce que tu vas me dire encore ?

ANTIGONE

Jure-moi que tu sortiras sans rien me dire. Sans même me regarder. Si tu m'aimes, jure-le moi. *(Elle le regarde avec son pauvre visage bouleversé.)* Tu vois comme je te le demande, jure-le moi, s'il te plaît, Hémon… C'est la dernière folie que tu auras à me passer.

HÉMON, *après un temps.*

Je te le jure.

ANTIGONE

Merci. Alors, voilà. Hier d'abord. Tu me demandais tout à l'heure pourquoi j'étais venue avec une robe d'Ismène, ce parfum et ce rouge à lèvres. J'étais bête. Je n'étais pas très sûre que tu me désires vraiment et j'avais fait tout cela pour être un peu plus comme les autres filles, pour te donner envie de moi.

HÉMON

C'était pour cela ?

ANTIGONE

Oui. Et tu as ri et nous nous sommes disputés et mon mauvais caractère a été le plus fort, je me suis sauvée. *(Elle ajoute plus bas.)* Mais j'étais venue chez toi pour que tu me prennes hier soir, pour que je sois ta femme avant. *(Il recule, il va parler, elle crie.)* Tu m'as juré de ne pas me demander pourquoi. Tu m'as juré, Hémon ! *(Elle dit plus bas, humblement.)* Je t'en supplie… *(Et elle ajoute, se détournant, dure.)* D'ailleurs, je vais te dire. Je voulais être ta femme quand même parce que je t'aime comme cela, moi, très fort, et que – je vais te faire de la peine, ô mon chéri, pardon ! – que jamais, jamais, je ne pourrai t'épouser. *(Il est resté muet de stupeur, elle court à la fenêtre, elle crie.)* Hémon, tu me l'as juré ! Sors. Sors tout de suite sans rien dire. Si tu parles, si tu fais un seul pas vers moi, je me jette par cette fenêtre. Je te le jure, Hémon. Je te le jure sur la tête du petit garçon que nous avons eu tous les deux en rêve, du seul petit garçon que j'aurai jamais. Pars maintenant, pars vite. Tu sauras demain. Tu sauras tout à l'heure. *(Elle achève avec un tel désespoir qu'Hémon obéit et s'éloigne.)* S'il te plaît, pars, Hémon. C'est tout ce que tu peux faire encore pour moi, si tu m'aimes. *(Il est sorti. Elle reste sans bouger, le dos à la salle, puis elle referme la fenêtre, elle vient s'asseoir sur une petite chaise au milieu de la scène, et dit doucement, comme étrangement apaisée.)* Voilà. C'est fini pour Hémon, Antigone.

Jean Anouilh, *Antigone*, La Table Ronde, 1946, pp. 42-44.

Bibliographie, filmographie et enregistrements

D'autres pièces de Corneille à lire

Horace, tragédie.
Cinna, tragédie.
L'Illusion comique, comédie.
La place royale, comédie.

D'autres pièces de théâtre du XVIIe siècle à découvrir

Racine, *Britannicus.*
Racine, *Andromaque.*
Racine, *Phèdre.*
Molière, *L'école des femmes.*
Molière, *L'avare.*
Molière, *Le bourgeois gentilhomme.*
Molière, *Les précieuses ridicules.*

Pour en savoir plus sur les grandes œuvres dramatiques du XVIIe siècle

Quinel et de Montagnon, *Contes et légendes du Grand Siècle*, Nathan, coll. « Contes et légendes ».
Chandon, *Contes et récits tirés du théâtre de Corneille,* Nathan, coll. « Contes et Légendes ».
Chandon, *Contes et récits tirés du théâtre de Molière,* Nathan, coll. « Contes et Légendes ».

Chandon, *Contes et récits tirés du théâtre de Racine*, Nathan, coll. « Contes et légendes ».

Filmographie

Le Cid, d'Anthony Mann (1961), avec Charlton Heston dans le rôle de Rodrigue et Sophia Loren dans celui de Chimène.

Enregistrements de la Comédie-Française

Coffret Corneille, *Horace*, *Cinna*, *Polyeucte*, *Nicomède*, *Le Cid*, 10 CD, Comédie-Française.
Le Cid, 2 CD, TNP, 1955 – Hachette, Auvidis, 1988.
Stances du *Cid*, Gérard Philipe (1946), CD et cassette.
Grandes scènes d'amour du théâtre français, *Le Cid*, *Bérénice*, *Le Misanthrope*, *Le Jeu de l'amour et du hasard*, *Ruy Blas*, *Cyrano de Bergerac*… 1 CD, Auvidis, 1998.

Achevé d' imprimer en Italie par Rotolito Lombarda
Dépôt légal : 04/2010 - Collection n° 63 - Edition n° 13
16/7848/1